まちごとチャイナ
四川省 001

はじめての四川省
成都・楽山・峨嵋山・九寨溝
［モノクロノートブック版］

JN118526

中華世界の最西端(内陸部)に位置し、「麻」と「辣」の四川料理、希少動物のパンダ、『三国志』の劉備玄徳や諸葛孔明といった言葉で語られる四川省。人口の多さ、広い面積、食や文化、自然の多彩さ、四川という地はどれをとっても中国屈指にあげられる。

　古代中国、中原に殷周文明があったとき、四川盆地では、黄河中流域とも長江下流域とも異なる三星堆文化が栄えていた。目の飛び出した特異な仮面、太陽や神樹信仰、黄金や青銅器を特徴とするこの古蜀国の存在は、四川の地が一個の独立した世界(四川盆地)であったことを物語っている。

　中央に対する、こうした四川の地勢は、歴史を通じて劉備玄徳の蜀、前蜀や後蜀といった地方王権を成立させ、「天府の国」と呼ばれる滋味豊かな大地と物産がそれを可能にしてきた。四川省は、成都のような洗練された都市、都江堰や青城山に代表される文化遺産、九寨溝や黄龍に見られる美しい自然など、多様な魅力をもつ省だと言える。

| まちごとチャイナ | 四川省 001 |

はじめての四川省

成都・楽山・峨嵋山・九寨溝

Asia City Guide Production
Sichuan 001
Sichuan

四川／sì chuān／スウチャン

「アジア城市（まち）案内」制作委員会
まちごとパブリッシング

Contents

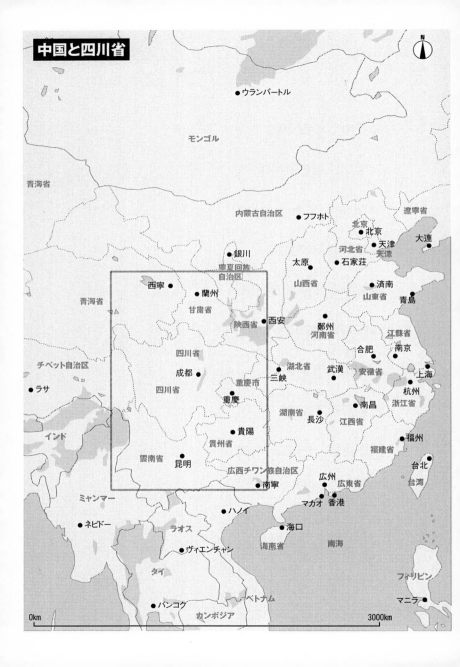

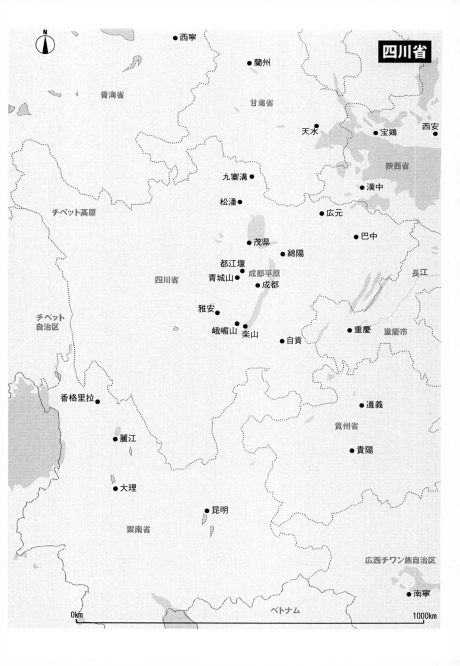

★★★

成都／成都 chéng dū チェンドゥ

都江堰／都江堰 dū jiāng yàn ドゥジィアンイェン

青城山／青城山 qīng chéng shān チィンチェンシャン

楽山／乐山 lè shān ラアシャン

峨嵋山／峨眉山 é méi shān アアメイシャン

九寨溝／九寨沟 jiǔ zhài gōu ジィウチャイゴゥ

Introduction
内陸の大省四川の地へ

劉備や孔明といった『三国志』ゆかりの成都
高さ71mで中国随一の楽山大仏、仏教聖地の峨嵋山
絶景の湖群が見られる九寨溝を擁する四川省

「中華料理の華」四川料理

　唐辛子や花椒(山椒)、ショウガ、にんにく、ねぎ、塩といっ
た調味料をふんだんに使った、「麻」と「辣」のしびれる辛さ
の味つけで知られる四川料理(川菜)。北京、上海、広東となら
ぶ中国四大料理のひとつで、「天府の国」で育まれた豊富な
食材、内陸という地域性が反映されている。成都では伝統的
で正統派の「正宗川味(成都菜)」が食べられていて、細切り豚
肉の炒めもの「魚香肉絲」、丁宝禎が四川の具材や香辛料で
つくった「宮保鶏丁」、煮た内臓を薄切りにして盛り合わせ
た「夫妻肺片」はじめ、「麻婆豆腐」や「回鍋肉」「棒棒鶏」「青
椒肉絲」「担々麺」など日本で親しまれている料理も多い。
一方、大胆で開拓的なのが重慶の「江湖菜(渝菜)」で、香辛料
のきいた真っ赤なスープに肉や野菜を入れる「重慶火鍋」や
「泉水鶏(よだれ鶏)」が名高い。また内陸であることから、そら
まめと小麦粉を発酵させた「豆板醤」や「ザーサイ」などの漬
けもの、塩による保存調理法が親しまれている。

四川という地名の由来

　四川省の古名を「蜀」といい、蜀という文字に「虫」が入っ
ていることからも、中原の漢民族の領域とは異なる地で

蜀の諸葛孔明は中国史上、屈指の天才軍師

四川省西部はチベット高原へ続く山岳地帯

しびれる味、麻と辣の四川料理

高さ71m、どこよりも巨大な大仏が鎮座する楽山

あったことが理解できる。蜀はもともと青虫を意味する「蚕」をさし、四川で古くから盛んであった養蚕と関係があるという。この「蜀国」は成都にあり、一方、重慶には「巴国」があったことから、両者をあわせて「巴蜀」と呼んだ（重慶は、1997年に分離する以前、四川省の一部を構成していた）。四川の地は、秦代は蜀郡、漢代は益州と呼ばれ、唐代に剣南道となり、その後、「東川」と「西川」という行政区にわかれた。宋代、「東川」と「西川」はさらにふたつにわけられ、益州路、梓州路、利州路、夔州路という「川陝四路」がおかれた。四川という名称は、この「川陝四路」に由来する。また、四川を南北に流れる4本の河川、岷江、沱江、涪江、大渡河からとられたという説もある（この4本の河川に関しては、嘉陵江を入れるなど、いくつかの説がある）。四川省をさして、「蜀」もしくは「川」と一文字で呼称する。

一個の独立した世界

四川省は、中国にある18の省のなかでは最西端に位置し、面積は新疆、チベット、内蒙古（以上自治区）、青海省につぐ規模をもつ。ひし形状の四川盆地と大体、重なり、周囲を山に囲まれていることから、四川省はひとつの世界をつくってきた。古代中国の殷周時代は、四川では太陽や神樹信仰、養蚕、稲作、鵜飼を特徴とする三星堆文化が栄え、「謎の仮面大国」と言われるほど、独特の仮面や青銅器が出土している。諸葛孔明が「天下三分の計」を示して四川盆地を拠点とした蜀の劉備玄徳、都長安が危機に陥ったとき、四川盆地に蒙塵してきた唐の玄宗や僖宗、前蜀や後蜀といった成都の地方王朝、日中戦争時代に重慶に臨時首都をおいた蒋介石。これらは唐の李白が『蜀道難（四川への道は天にのぼるよりも難しい）』で詠んだ閉鎖的な地形、またこの盆地だけである王朝や独立国を養うことができるほどの物産の豊富さが可能にした。また四川省の方言には、唐代に使われていた古い音が残

されているという。

四川省の構成

　岷江、沱江、涪江、嘉陵江といった河川が網の目のように流れ、次々と合流していき、やがて長江へとそそぐ。四川省では、古くから河川が交通網となり、河川の合流点に街が築かれてきた。岷江流域にある省都「成都」の繁栄は、岷江が高原から平原へ出る地点に築かれた水利施設の「都江堰」の造営で決定的になった(岷江の水量を都江堰がコントロールした)。この都江堰の近くには道教発祥の地「青城山」がそびえ、ともに高原を背後に成都平原を睥睨するように位置する。四川省西部はチベット高原に続く丘陵地帯であり、アバ・チベット族チャン族自治州は「九寨溝」と「黄龍」というふたつの自然遺産を抱える。一方、成都方面から南にくだった岷江と、大渡河、青衣江の合流地点に四川省第2の都市「楽山」がある。この三江合流地点は古くからの要衝で、「楽山大仏」は唐代、通行の安全を願って築かれた。楽山西40kmの地点の「峨嵋山」は中国四大仏教聖地のひとつで、楽山大仏とともに世界遺産に登録されている。大渡河をさかのぼった「雅安」には、「ジャイアントパンダ保護区」や「パンダ保護センター」があり、パンダの繁殖、研究が行なわれている。四川省を南北につらぬく河川の岷江は、「宜賓」で長江に合流し、四川盆地を出てやがて重慶にいたる。

Cheng Du

成都城市案内

四川料理の本場、パンダを育てる研究基地
三国志英雄の劉備や孔明の故郷
さまざまな顔をもつ成都は第一級の観光都市

成都／成都★★★
chéng dū
せいと／チェンドゥ

　　成都は四川省の省都であり、紀元前316年以来、2000年以上にわたって同じ場所で都市が持続する中国有数の都市。成都という名称は「(3年で)都に成る」に由来する。劉備玄徳や諸葛孔明ゆかりの武侯祠、パンダ研究基地、四川料理の名店を抱え、麻婆豆腐は清代の成都で生まれた。錦江のほとりに開けた成都旧城には、唐代以前からの伝統をもつ文殊院、大慈寺といった古刹が残り、清代の胡同のたたずまいを見せる寛窄巷子も位置する。成都の街は、この旧城から波紋を描くように、同心円状に外へ外へと発展していった。喧騒から離れたかつての成都郊外を流れる浣花渓そばに構えられた杜甫草堂、老子ゆかりの道教寺院の青羊宮、市街南東部の望江楼は、今では成都市街と一体化している。また成都は、内陸の街でありながら、北京や上海に準ずる購買力をもつ消費の先端地だと知られ、春熙路や二環路の双楠商圏には大型ショッピングモールがならび立つ(成都で売れたものがほかの都市にも広がるという)。20世紀末以来、手ぜまになった市街の南郊外に開発区が整備され、成都は西安、重慶とともに中国内陸部の発展を牽引している。

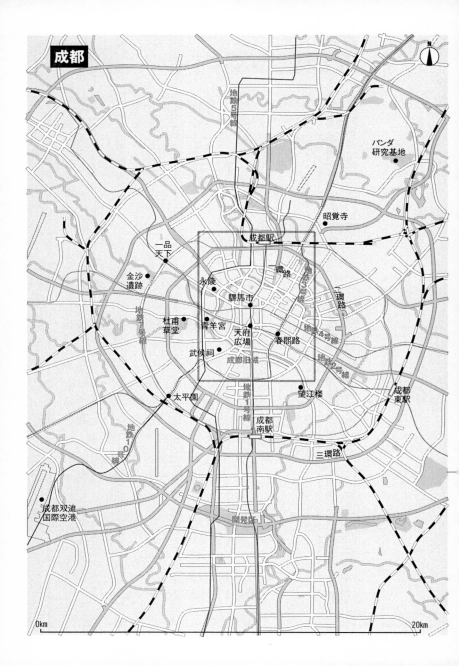

『三国志』蜀の都

「蜀(成都)に入って、魏の曹操と呉の孫権に対抗するのがよい」。天才軍師の諸葛孔明が劉備玄徳に授けた「天下三分の計」によって、華北の魏、江南の呉、四川の蜀が並立する三国時代(220〜280年)を迎えた。この『三国志』は正史では、魏の継承国家である晋によって統一されるが、明の羅漢中による小説『三国志演義』では、魏の曹操を悪役、蜀の劉備玄徳を正義とする。劉備玄徳の人望、「桃園の誓い」で劉備と義兄弟のちぎりを結んだ関羽、張飛の活躍、諸葛孔明の知略は人びとの人気を博し、日本でも親しまれている。成都には、劉備や孔明がまつられた「武侯祠」、「万里の道もこの橋よりはじまる」と孔明が言った「万里橋」(成都旧城の正門)、関羽の死を聞いた劉備が涙で濡れた顔を洗った「洗面橋」、関羽の衣鉢をまつった「衣冠廟」など、三国志ゆかりの場所が残る。

天府広場／天府广场★☆☆
tiān fǔ guǎng chǎng
てんぷひろば／ティエンフウグゥアンチャアン

四川省(「天府の国」)の省都成都の中心に立つ天府広場。古くから成都の統治拠点だった場所で、明清時代には皇城(蜀王府)がおかれていた。1969年に整備された高さ12.26mの

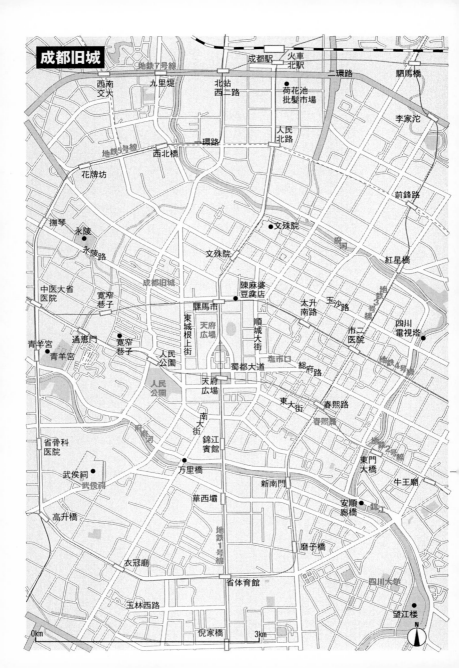

成都旧城

地鉄7号線
成都駅
火車北駅
二環路
駟馬橋
西南交大
九里堤
北站西二路
荷花池批髪市場
李家沱
地鉄3号線
一環路
西北橋
人民北路
花牌坊
前鋒路
撫琴
永陵
文殊院
永陵路
文殊院
紅星橋
中医大省医院
寛窄巷子
成都旧城
陳麻婆豆腐店
駟馬市
玉沙路
太升南路
四川電視塔
青羊宮
通恵門
寛窄巷子
東城根上街
天府広場
順城大街
市二医院
地鉄4号線
青羊宮
人民公園
蜀都大道
塩市口
総府路
人民公園
天府広場
東大街
春熙路
春熙路
省骨科医院
南大街
錦江賓館
地鉄2号線
東門大橋
牛王廟
武侯祠
武侯碑
万里橋
新南門
安順廊橋
廊江
高升橋
華西壩
磨子橋
衣冠廟
地鉄1号線
四川大学
省体育館
玉林西路
望江楼
0km
倪家橋
3km
N

毛主席像が立ち、周囲には四川科技館、成都博物館新館、四川大劇院、四川省図書館といった大型公共建築が集まる。天府広場は八卦太極図をもとに設計され、巨大な金色の金沙太陽神鳥(三星堆の太陽信仰)も見られる。

春熙路／春熙路★★☆
chūn xī lù
しゅんきろ／チュンシイルウ

　成都の中心部を南北に走り、この街でもっともにぎわう春熙路。孫文像の立つ中山広場はじめ、歩行街が縦横に走り、近くの紅星路をあわせて春熙路商圏を構成する。IFS国際金融広場をはじめとする大型ショッピングモールが集まり、壁をよじのぼろうとするパンダ像、洗練されたショップ、レストランの集まる成都遠洋太古里(唐代創建の古刹大慈寺をとり囲む)も見られる。天府広場から塩市口、総府路にかけて多くの人が行き交う。

陳麻婆豆腐老店／陈麻婆豆腐老店★★☆
chén má pó dòu fu lǎo diàn
ちんまあぽおどうふろうてん／チェンマアポオドォウフウラァオディエン

　清末に麻婆豆腐を生んだ陳麻婆の店の流れをくむ陳麻婆豆腐老店。当時、成都旧城北門の万福橋あたりでは材木運びの労働者が多く、陳麻婆は彼らのために店(家)の両隣にあっ

た羊肉店と豆腐屋から材料を仕入れて、手早く、栄養のある料理を出した。これが麻婆豆腐のはじまりで、麻婆豆腐という名前は、麻婆（劉姓）の顔にあばた（麻子）があったことに由来する。中華鍋でひき肉を炒め、塩、発酵させた大豆の豆豉、スープをくわえ、豆腐、にんにくの葉（青ネギ）、醤油、調味料、とろみをつける片栗粉（でんぷん）を入れて炒める。1952年、四川飯店の陳建民が紹介したことで、日本でも広まり、成都市街には陳麻婆豆腐老店が何店か見られる。

成都の美食店

　ユネスコから「世界美食の都」という称号を受けている成都。麻婆豆腐を生んだ「陳麻婆豆腐老店」はじめ、成都には清代以来の老舗料理店が何店もならび立つ。郭朝華夫妻がはじめた牛の内臓の煮もの「夫妻肺片」、1893年創業で、豚肉のあんを包んだ水餃子の「鐘水餃」、1941年創業の四川風ワンタン炒手の「龍抄手総店」、だんご売りの屋台を発祥とする「頼湯元」、また陳包包が天秤棒で担いで成都で売り歩いた麺料理「担々麺」などがその代表格。現在、名店として地位を確立しているこれらの老舗も、もともと屋台からはじまったものも多く、成都ではハエが飛んでいそうだが、味はよい店を青蝿餐庁と呼ぶ。これら美食店は春熙路から総府路にかけて、店舗を構えているところが多い。

文殊院／文殊院★★☆
wén shū yuàn
もんじゅいん／ウェンシュウユゥエン

　成都旧城北部に立つ文殊院は、隋の大業年間（605～617年）に創建された仏教禅宗の古刹。破壊と再建を繰り返したのち、清代の1691年に文殊菩薩が安置され、1697年、伽藍が再建されて文殊院となった。山門から天王殿、三大士殿（観音殿）、大雄宝殿、説法堂（薬師殿）、蔵経楼と中軸線上にならび、

天府広場に立つ毛沢東像

清代の成都で麻婆豆腐は生まれた、陳麻婆豆腐老店

四川の顔パンダ、いろんなデザインを目にする

成都随一の繁華街である春熙路

三国志の英雄、劉備玄徳がまつられた武侯祠

玄奘三蔵の頭蓋骨の一部も安置する。この文殊院の門前町は、唐代から参拝客のための市場が集まっていて、現在では文殊坊として再開発されている。

寛窄巷子／寛窄巷子★★★
kuān zhǎi xiàng zi
かんさくこうし／クゥアンチァアイシィアンズウ

寛巷子、窄巷子、井巷子という清朝以来の路地(胡同)が残る一帯を寛窄巷子と呼ぶ。このあたりは清代に、統治者である満州族の少城(満城)があった場所で、八旗軍とその家族が暮らし、成都旧城東側の漢族の街とは街のおもむきが異なっていた(両側の胡同にくらべて広く見えた寛巷子と、狭く見えた窄巷子の頭文字から地名がとられている)。清代以来の3本の路地、四合院などの伝統的民居にはカフェやショップ、レストランが入居し、古い街並みと洗練された街の双方の顔をもつ。清代の邸宅が利用された成都画院(成都市美術館)も開館する。

望江楼／望江楼★☆☆
wàng jiāng lóu
ぼうこうろう／ワンジィアンロォウ

成都旧城から錦江をくだった地点に立つ望江楼。明清時代以前より、成都から長江、江南へ向かって旅立つ人への宴が開かれる場所だった(また逆のルートで、望江楼の岸に上陸したという記録も残る)。清代の1814年、この地に吟詩楼が造営され、錦江を望むように立つ高さ27.9mの崇麗閣(望江楼)、濯錦楼といった建築が次々に建てられていった(その後の中華民国時代に望江楼公園として開放された)。唐代の女流詩人薛濤(762年ごろ～834年ごろ)が化粧や薛濤箋づくりに使ったという薛濤井も残る。

成都旧城に残る仏教寺院の文殊院

古い成都と新しい成都が出合う寛窄巷子

成都ジャイアントパンダ繁殖研究基地

望江楼は錦江にのぞむ景勝地

成都ジャイアントパンダ繁殖研究基地／
成都大熊猫繁育研究基地★★★
chéng dū dà xióng māo fán yù yán jiū jī dì
せいとじゃいあんとぱんだはんしょくけんきゅうきち／チェンドゥダアシオンマァオファンユウヤンジィウジイディイ

　中国四川省を中心とした地域にしか、生息しない希少動物のパンダ。成都ジャイアントパンダ繁殖研究基地は、パンダにとって心地よい飼育環境が整備され、「パンダの楽園」とも言われる。このパンダ研究基地は、1953年、都江堰近くで発見された野生のパンダを、この地(斧頭山動物園)に運んで保護したことをはじまりとする。1987年、パンダ繁殖研究基地が設立され、パンダの飼育、繁殖、研究で成果をあげている(パンダが成長したら、再び野生に返すといったことも行なわれている)。幼年ジャイアントパンダ館、亜成年ジャイアントパンダ館、成年ジャイアントパンダ館というように、それぞれの成長段階ごとのパンダ館がある。成都の中心から北東に11km。

パンダあれこれ

　中国四川省、甘粛省などの限られた地域でしか見ることができないジャイアントパンダ。中国語でパンダのことを「大きな熊のような猫」という意味で、大熊猫(ダアシオンマォ)と呼ぶ。パンダは体長1.2〜1.5m、体重75〜160kgほどで、白と黒のずんぐりむっくりとした愛らしい姿をしている。1日の半分ぐらいをかけて、ささなどの食事をとり、また多くの時間を睡眠についやす。中国では古くからパンダのことは知られていたが、この生きものが世界に紹介されたのは1869年(フランス人宣教師アルマン・ダヴィドが、中国四川の雅安で「発見」)。パンダという名前は、レッサーパンダを見かけたヒマラヤ探検隊が「あれは何だ?」と問い、ネパール人ガイドが「ニガリャポニャ」(ネパール語で「笹を食べるもの」)と答えたことにはじまるという。中国語でレッサーパンダを小熊猫とい

うが、クマ科のパンダに対して、こちらはアライグマ科の動物となっている。

開発区／开发区★☆☆
kāi fā qū
かいはつく／カァイファアチュウ

　20世紀末の改革開放(経済政策)を受けて、成都の開発区は、手狭になった旧市街から離れた南郊外につくられた。市街からまっすぐ南に天府大道が伸び、成都の新たな金融、経済の中心地となっている。南北500m、東西400m、高さ130mの新世紀環球中心はじめ、新世紀現代美術センター、成都世紀城新国際会議中心といった大型建築がならぶ。現在では成都市街の南に隣接した高新区のさらに南側に天府新区がつくられ、農村と都市部をあわせた開発が進められている。

武侯祠／武侯祠★★★
wǔ hóu cí
ぶこうし／ウウホォウツウ

　三国志の英雄である劉備玄徳(161〜223年)と、「天才軍師」諸葛孔明(181〜234年)をまつった武侯祠。諸国を放浪していた劉備玄徳は、諸葛孔明に「天下三分の計」を授けられ、221年、成都に入って蜀を建国した。孔明と、その力を借りて魏の曹操と呉の孫権に対抗した劉備の関係は「水魚の交わり」とたとえられた。劉備は死後、成都の恵陵にほうむられ、その東側70歩のところに、蜀漢の昭烈皇帝(劉備玄徳)をまつる漢昭烈廟がつくられたのが武侯祠(漢昭烈廟)のはじまりだという。明代の1390年、蜀王朱椿が漢昭烈廟と武侯祠をあわせて改修し、その後の清代に現在の姿になった。劉備玄徳をまつった「漢昭烈廟」、諸葛孔明のための「武侯祠」、劉備玄徳の墓「恵陵」を中心とした複合建築で、孔明の徳について記された「唐碑」、孔明の出陣にあたっての決意表明が刻まれた「出師の表」、趙雲、馬超、黄忠など蜀の武将や文官の像を安

神獣が寺院を守護する

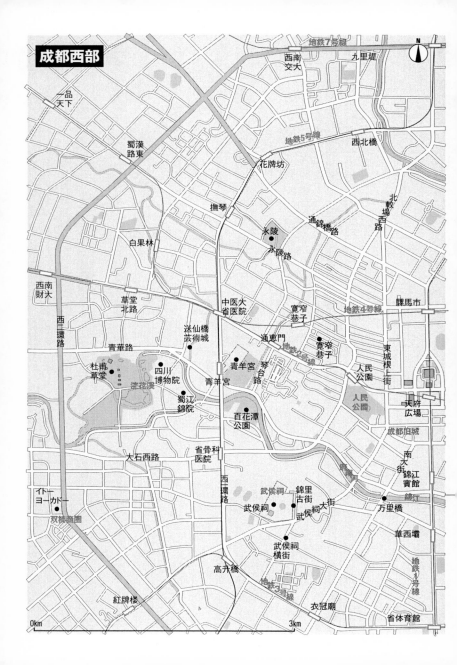

成都西部

地鉄7号線
西南交大
九里堤
一品天下
蜀漢路東
地鉄5号線
西北橋
花牌坊
撫琴
通錦橋路
北戦場西路
永陵
永陵路
白果林
西南財大
草堂北路
中医大省医院
寛窄巷子
地鉄4号線
駟馬市
送仙橋芸術城
通恵門
寛窄巷子
東城根上街
西二環路
青華路
青羊宮
青羊宮路
琴台路
地鉄2号線
人民公園
杜甫草堂
四川博物院
浣花渓
人民公園
天府広場
蜀江錦院
百花潭公園
成都旧城
南大街
省骨科医院
錦江賓館
大石西路
西二環路
錦江
イトーヨーカドー
武侯祠
錦里古街
武侯祠大街
万里橋
双楠飯園
武侯祠
華西壩
地鉄1号線
武侯祠横街
高升橋
地鉄3号線
紅牌楼
衣冠廟
省体育館

0km　　　　3km

置する回廊「文武廊」、劉備、関羽、張飛の義兄弟の「三義廟」などからなる。正式名称は漢昭烈廟だが、成都の人びとの諸葛孔明への親しみもあって、その諡からとられた武侯祠の名前で呼ばれている。

『三国志』とは

　　劉備玄徳(161〜223年)は、前漢の景帝の子である中山王の流れをくむというが、当初は貧しい生活に甘んじていた。後漢の184年、黄巾の乱が起こると、劉備は徒党をひきいて後漢王朝のために立ちあがり、「桃園の誓い」で関羽、張飛と義兄弟のちぎりを結んだ。劉備たちは各地を転々としながら戦い、荊州(湖北省)で「三顧の礼」をつくして諸葛孔明を軍師に迎えることに成功した。南下する「乱世の奸雄」魏の曹操孟徳に対して、劉備と呉の孫権は赤壁の戦いで迎え撃ち、孔明の作戦もあってこれを撃破した。その後、劉備は成都入りを果たし、221年、蜀を建国した。魏が勝利する正史の『三国志』に対して、小説『三国志演義』では、曹操孟徳が悪、劉備玄徳が正義として描かれ、この三国志の物語は日本でも親しまれている。

★★★
武侯祠／武侯祠 wǔ hóu cíウウホォウツウ
錦里古街／锦里古街 jǐn lǐ gǔ jiēジィンリイグウジエ
寛窄巷子／宽窄巷子 kuān zhǎi xiàng ziクゥアンチャアイシィアンズウ
★★☆
永陵／永陵 yǒng língヨォンリィン
青羊宮／青羊宫 qīng yáng gōngチィンヤァンゴォン
杜甫草堂／杜甫草堂 dù fǔ cǎo tángドゥフウツァオタァン
★☆☆
天府広場／天府广场 tiān fǔ guǎng chǎngティエンフウグゥアンチャアン

永陵、皇帝陵の前に配置された文人

青羊宮は老子ゆかりの道教寺院

錦里古街には小吃店が集まる

都から少し離れた静謐の地にあった杜甫草堂

錦里古街／锦里古街★★☆
jǐn lǐ gǔ jiē
きんりこがい／ジンリイグウジエ

　武侯祠に隣接する長さ550mの錦里古街。石畳の通りの両脇に四川西部の民居建築が見られ、ランタンや三国志時代を思わせる旗などに彩られている。2004年に整備され、料理店、小吃店、土産物店、劇場、茶館などがならぶ。「西蜀第一街」という。

永陵／永陵★★☆
yǒng líng
えいりょう／ヨンリィン

　永陵は、五代十国時代の成都に都をおいた前蜀の王建(847～918年)の陵墓。長らくこの永陵の場所はわかっていなかったが、1942～43年に偶然、発見された。王建は塩の密売や牛の屠殺を行なう無頼の徒だったが、唐末の混乱のなかで軍人として台頭し、節度使となった。902年、四川を統一して蜀王と名乗った王建は、907年、唐が滅ぶと、自ら帝位につき、国号を蜀(前蜀)とした。高さ15mの円形の墳丘墓で、墓室は全長30.8m、前、中、後の三室からなり、王建の石棺がおかれている。石棺には琵琶や笛を演奏する古代宮廷楽隊、舞う女性、あわせて24人の女性の楽人が彫りこまれている。

青羊宮／青羊宫★★☆
qīng yáng gōng
せいようきゅう／チンヤァンゴォン

　青羊宮は老子(紀元前6世紀ごろの人)ゆかりの、成都でもっとも由緒正しい道教寺院。古代周王朝の衰退を観じた老子は函谷関を西に向かって通過したとき、「千日のあいだ道を実践してから、私を成都の青羊肆にたずねて来るように」という言葉を残したという。明代建立の「山門」の奥に「混元殿」、下層は円形、上層は八角の「八卦亭」、元始天尊、太上道君、太

上老君をまつる「三清殿(無極殿)」、「斗姥殿」と軸線上に建築が続く。そのなかで三清殿の香炉前に2匹の羊像が立ち、向かって右の南宋時代の「独角羊」が特筆される。身体は鹿、虎のような爪、獅子のような尾をもち、清代の1723年に大学士張鵬翮が北京から運んできた。

杜甫草堂／杜甫草堂★★☆
dù fǔ cǎo táng
とほそうどう／ドゥフウツァオタァン

　唐の詩人杜甫(712〜770年)は、都の長安の混乱を逃れて、759年より成都に滞在した。杜甫は成都市街の喧騒から離れた浣花渓のそばに庵を結び、のちに杜甫草堂と呼ばれるようになった。この杜甫草堂について、『居を卜す(新居を建てる前に、吉凶を占うこと)』や『江村(大きく村を抱いて流れる清江は浣花渓のこと)』で詠んでいるほか、成都時代に『蜀相』『春夜喜雨』『茅屋為秋風所破歌』などの安定した創作活動を見せた。杜甫草堂は、大きく西側の草堂エリアと、東側の草堂寺エリアからなり、工部祠、茅屋、大雅堂などが位置する。成都時代の杜甫は、工部員外郎という肩書だった。

成都郊外城市案内

水利施設の都江堰と道教聖地の青城山
ふたつの世界遺産はいずれも
成都平原とチベットに続く高原の結節点に位置する

都江堰／都江堰★★★

dū jiāng yàn
とこうえん／ドゥジィアンイェン

　紀元前256年ごろに造営され、四川の地を「天府の国」に生まれ変わらせた水利施設の都江堰。蜀郡に派遣された太守李冰は、不安定な成都の収穫状況を改善するため、暴れ川であった岷江の調査に乗り出し、岷江が高原から成都平原に出る地点に都江堰を造営することを決めた。都江堰は「魚嘴」から「宝瓶口」までの1kmほどをかけて岷江の流れを制御する水利施設で、灌漑と洪水対策の双方を同時に行なうことを特徴とする。都江堰を造営した李冰とその息子の二郎をまつる「二王廟」、そこへ続く長さ313mの「安瀾橋」、李冰が岷江の龍を退治した場所に立つ「伏龍観」、伏龍観に安置されている後漢の治水役人がつくった「李冰石像」が立ち、この都江堰に向かって3層の屋根、長さ54mの「南橋」がかかる。青城山とともに世界遺産に指定されている。

必要な分だけの水を成都に流す

　李冰の工事は、岷江が丘陵地帯から平原部に流れ出す地点に水利施設を築き、多すぎない、安定した水を成都平原に流すことを可能にした。まず岷江の流れは「魚嘴」で、より川

都江堰を築いた李冰をまつる廟に続く安瀾橋

成都郊外

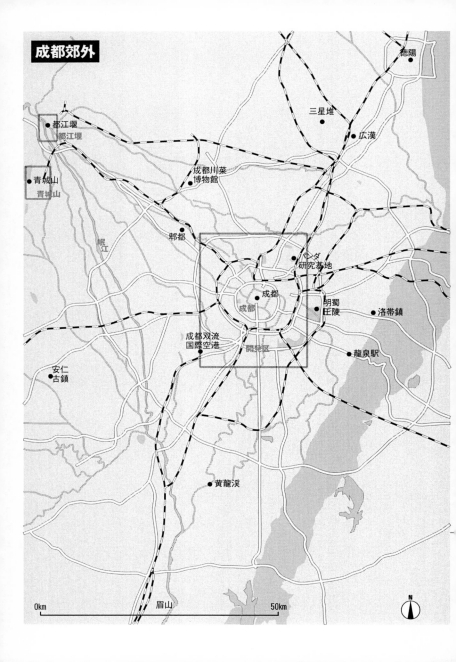

徳陽

三星堆

広漢

都江堰
都江堰

青城山
青城山

岷江

成都川菜
博物館

郫都

パンダ
研究基地

成都
成都

明蜀
王陵

洛帯鎮

成都双流
国際空港

錦里区

龍泉駅

安仁
古鎮

黄龍渓

0km   眉山   50km

N

底の深い内江(成都方面)と、川幅の広い外江(岷江)にわけられる。水は優先的に内江に流れるが、水量が一定以上(洪水)になると外江に流れるようにした。そこから内江に入った水は、1kmほど下流の「宝瓶口」から成都方面に流れていくが、その前に意図的に低くつくられた堤防の「飛沙堰」があり、多すぎる水は内江から外江(岷江)へと戻っていく。都江堰造営の材料は、竹や玉石、木材など、現地で用意できるもので、造営から2000年以上たった今でも現役で使われている。この都江堰の土木事業は、万里の長城、京杭大運河にもくらべられる。

青城山／青城山★★★
qīng chéng shān
せいじょうさん／チィンチェンシャン

四川盆地の西の縁、成都平原をのぞむ地に立つ道教聖地の青城山。1年を通して豊かな緑におおわれ、青い峰が城郭のように見えるところから、青城山という名前になった。「西蜀第一山」とたたえられる幽山で、36座の翠峰、8つの大洞、72の小洞、108景をそなえる。この青城山は、紀元前143年、天師張陵が降魔伏鬼をし、五斗米道(天師道)の教団の拠点がおかれていたことから、道教発祥地のひとつにあげられる。以後、道観や寺廟がいくつも建設され、最盛期、その数は100を超し、道教の「第5洞天」にもあげられた。青城山への入口には「建福宮」が立ち、そこから登った山上にはこの聖地でもっとも由緒正しい「上清宮」が立つ(また標高1260mの頂上には「老君閣」がそびえている)。中腹にある「天師洞」は、五斗米

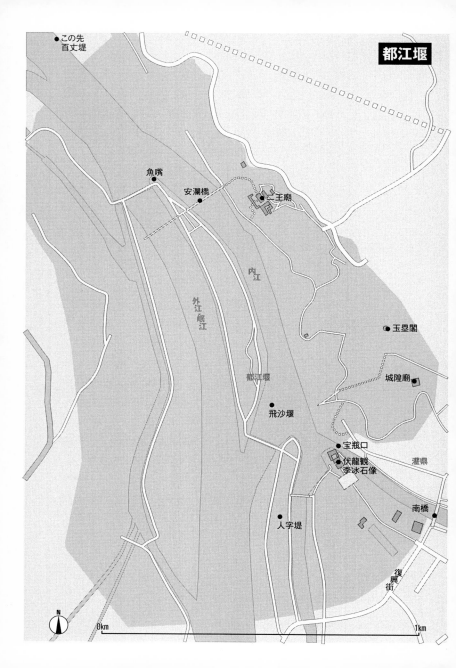

都江堰

この先
百丈堤

魚嘴

安瀾橋

二王廟

内江

外江　糜江

玉塁閣

都江堰

城隍廟

飛沙堰

宝瓶口

伏龍観
李冰石像

灌県

南橋

人字堤

復興街

N

0km　　　　　　　　　　　　　　　　　　　　　　1km

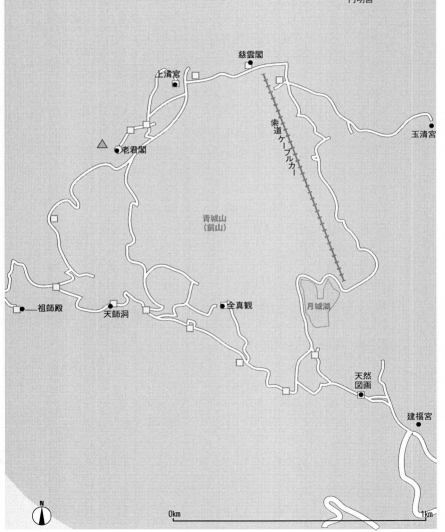

青城山

円明宮

慈雲閣

上清宮

索道ケーブルカー

玉清宮

老君閣

青城山
(前山)

月城湖

祖師殿

天師洞

全真観

天然
図画

建福宮

N

0km   1km

道の張陵が庵を結んだ場所とされる。

道教と漢方の四川

　中国の民間信仰をもとにする道教の発生起源はさだかではないが、道教教団の成立は、後漢末の張角による太平道と、同時代の張陵(2世紀ごろ)による五斗米道がはじまりだとされる。張陵は江蘇省出身で、晩年になって金丹(不老不死の薬)をつくる方法を学び、四川にその材料の豊富な名山が多く、人々が純朴だと聞いて、数名の弟子とともに四川へ向かった。張陵が四川に移住した理由でもあるように、四川(成都)は、古くから漢方薬の本場として知られ、自然の植物や鉱物などを乾燥、細切りにして使う生薬が使われ、薬物についての本草学も発展した。四川という地が中原から見て、はるか西の端にあること(チベット高原へ続くこと)、清代まで岷江が長江の源流だと考えられていたこともあり、この地方では、西方の崑崙山に棲むという西王母の信仰も盛んだった。ほかには「道教の祖」ともされる老子(紀元前6世紀ごろの人)が青羊をひいて成都を通ったと伝わり、成都天府広場の八卦太極図の意匠は、四川省と道教の深いかかわりによる。

三星堆博物館／三星堆博物馆★☆☆
sān xīng duī bó wù guǎn
さんせいたいはくぶつかん／サァンシィンドゥイボオウグゥアン

　1986年、長江上流域の四川省三星堆から、それまで見たこともないような目の飛び出した仮面、黄金のデスマスク、青銅製人像、玉器や青銅器が発見された。それは中原で殷の栄えた紀元前2000〜前900年ごろのもので、ここに黄河文

★★★
都江堰／都江堰 dū jiāng yàn ドゥジアンイェン
青城山／青城山 qīng chéng shān チンチェンシャン

幽玄な世界が広がる青城山にて

三星堆遺跡からはさまざまなかたちの青銅器が出土した

飛び出した目、驚異の仮面王国

魚嘴によって内江と外江に流れがわかれる

明と長江文明とも異なる独自の文化の存在が確認された。三星堆文化（＝古蜀）は養蚕、柏樹信仰、鵜飼、稲作などを特徴とし、三星堆博物館では出土品やこの地で栄えた王国の展示が見られる。古蜀人の智慧と精神性の象徴である「通天神樹」、『華陽国志』に記された「蜀の王は縦目（立体的な出目）であった」という言葉通りの目の飛び出した「銅鋳幻面・寄載魂霊（奇秘面具）」、両手で何かをもっていたかのような姿をしている青銅製の「矗立凡間・溝通天地（群巫之長）」などを安置する。

三星堆を生んだ古蜀国

　古蜀国の始祖である蚕叢は、岷江上流（岷山石室）を本拠とし、牧畜を生業としていた（「蜀」という文字が蚕を意味するように、この地は養蚕と深い関係があった）。王は人びとに養蚕を教え、人びとの服は左前で、髪をたばねて後ろにたらし、礼儀や音楽もわきまえていなかった。のちの望帝杜宇の時代に、成都平原に降りてきて、成都近郊の郫邑、瞿上が都となった。そして開明王朝のときに成都に都を遷したという。古蜀国は三星堆文化の担い手で、羌族に属すると考えられている。そして四川省の山間部には、漢族と異なるイ族、チベット族、ミャオ族、回族、羌族などの少数民族が、今でも多く暮らしている。漢族と異なる都市文化を築いていた古蜀国に対して、中原では「黄帝の子が四川に派遣され、そこで蜀山氏の娘をめとって生んだのが高陽（のちの皇帝の顓頊）」というように中央と関連づけて解釈している。

蜀錦から喫茶まで四川的

**チベットや東南アジア、インド
こうした非中華世界に近い省でもある
四川は中国世界への門戸でもあった**

四川の伝統文化

　「蜀」という文字が蚕を意味するように、四川では古くから養蚕が行なわれ、この地が養蚕の発祥地であるという。錦江（蜀江）で染めた糸で花や獣、鳥などの文様をつくる「蜀錦」は、中国の絹のなかでもっとも美しく、日本の京都の西陣織の源流にもなった。同様に、100種類以上の針の運びかたがあり、繊細な刺繍で知られる「蜀繍」も名高い。唐代、長安の混乱にともなって、皇帝、官吏、文人、画家、彫刻家などが四川に遷ってきたことで、中原の優れた文化も四川に伝わった。黄筌（～965年）とその子の黄居寀（933～993年）は、「花鳥画」を確立し、宋代、蜀から中原へ進出し、中国の画風を一変させた。また四川省の地方劇「川劇」は明末にはすでに演じられ、清代に独特の発展をとげ、京劇よりも早く完成された。この川劇では臉譜というお面が、一瞬で次々に変わる変面絶技が大きな特徴にあげられる。

お茶とお酒

　世界中で飲まれる茶の原産地は、雲南、貴州、四川に広がる雲貴高原で、南北朝（5～6世紀）時代に四川ではじめて「茶を飲む」という喫茶の文化が生まれた。茶を飲んだり、おしゃ

童話世界にたとえられる九寨溝

牙をもった白象は普賢菩薩の乗りもの、峨嵋山にて

四川省山岳地帯、山の幸を利用した料理

成都に残る青羊宮の八卦亭

べりをしたり、麻雀をしたり、地方劇を観たりする茶館の起源は四川にあるという。現在も成都では街のいたるところに茶館があり、四川ではとくにジャスミン茶が親しまれている。また四川省の成都では、元代から焼酒(白酒)が飲まれていて、現在では白酒の一大産地として知られる(元、明、清代の酒坊の水井街酒坊遺跡も残る)。

四川を起点とする西南シルクロード

漢の武帝に派遣された張騫(〜紀元前114年)が、中央アジアの大夏で、蜀(四川)の蜀布や竹杖が売られているのを見た。それは甘粛省河西回廊から中央アジアへ続くシルクロードとは別に、成都から雲南省、東南アジア、インドを経由して西方に伸びる西南シルクロードがあったことを意味した(また雲南省の茶と、北方の馬が交換される茶馬古道も成都から北へ伸びた)。西南シルクロードのもっとも重要な交易品は成都の錦江で洗った絹の蜀錦で、この道は「蜀布之道」ともいった。また唐の太宗(在位626〜649年)がインドに使者を派遣したのち、西域の僧鄒和尚が四川に製糖(サトウキビから砂糖をとる方法)を伝えたという歴史もある。これが中国に伝来したはじめての製糖だったという。

四川と文学

険しい山、幾本もの河川といった四川省の変化に富んだ地形は、多くの詩に詠われてきた。四川で少年時代を過ごし、中央へ旅立った唐の李白(701〜762年)は楽山近くで『峨嵋山月歌』(「峨嵋山月半輪秋/影入平羌江水流/夜発清渓向三峡/思君不見下渝州」)を残している。李白と同時代の詩人杜甫(712〜770年)もまた都の混乱を離れて、四川を転々としたのち成都にいたり、この地で杜甫草堂を構えた。唐宋時代を代表する文人の蘇東坡(1036〜1101年)は四川眉山の生まれで、楽山や四川

の山水を愛した。また宋代の陸游(1125〜1210年)『入蜀記』、范成大(1126〜93年)『呉船録』は、いずれも四川に任官したときに記された紀行文学で、のちの世にも読みつがれている。また近代中国を代表する学者である郭沫若は、楽山西25kmの沙湾の出身で、峨嵋山の天下名山牌坊、楽山大仏景区の扁額にその書を残している。

Le Shan
楽山城市案内

長らく嘉州として知られてきた楽山
山が一尊の仏で、仏が一座の山
高さ71m、驚異の楽山大仏が鎮座する

楽山／乐山 ★★★
lè shân
らくさん／ラアシャン

　岷江、大渡河、青衣江の合流点に開けた四川省第2の都市の楽山。3つの河川を通じて四川各地、成都と長江を結ぶこの街は、古くから交通の要衝だった。しかし、水量の異なる河川が合流することで、しばしば水害(水難事故)が起こることでも知られていた。唐代の713年、楽山を往来する船の安全を祈願して、海通和尚は巨大大仏の造営をはじめ、90年の月日をかけて完成した。それは岷江東岸の凌雲山を彫り出した高さ71mの楽山大仏で、中国最大の石彫大仏でもある(この大仏の見つめる先の西40kmには、仏教聖地の峨嵋山がそびえ、両者は「峨嵋山と楽山大仏」という複合世界遺産に指定されている)。楽山大仏の鎮座する凌雲山は、美しい山水に抱かれ、唐の詩人李白は楽山近くで『峨嵋山月歌』を詠んだ。三江合流点にあった楽山の街は、現在、北に伸びて、新市街や鉄道駅がつくられるなど、南北に大きく広がっている。

四川省の仏教世界

　成都では、後漢(25〜220年)から三国時代にかけての仏教遺跡が出土し、後漢中期ごろに四川に仏教が伝わったと考え

楽山大仏の巨大な頭部は14.7m

凌雲山を上から彫り出していった

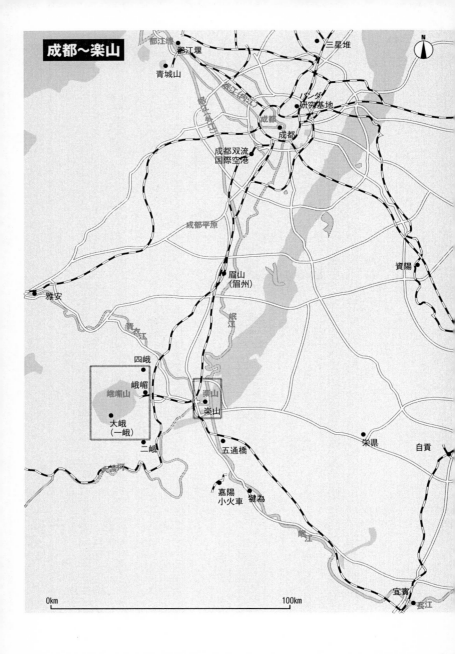

成都～楽山

都江堰
都江堰
青城山
三星堆
パンダ
研究基地
成都
成都
岷江下段金山
岷江下段金山
成都双流
国際空港
成都平原
雅安
眉山
（眉州）
資陽
岷江
青衣江
四峨
峨嵋
峨嵋山
楽山
大峨
（一峨）
楽山
栄県
自貢
二峨
五通橋
峨河
嘉陽
小火車
犍為
岷江
宜賓
長江

0km   100km

られる。中原から離れた四川省の仏教は、廃仏の影響をほとんど受けることもなく、この地で独特の発展を見せた。高さ71mの楽山大仏は朝廷ではなく、一個人の僧侶の発願で造営がはじまったことを特徴とし、四川省には楽山大仏のほかにも、高さ21.4mの資陽大仏(唐代)、高さ36.7mの栄県大仏(北宋)などの大仏が残っている。唐代の成都は長安、揚州に準ずる仏教拠点となり、成都の木版印刷技術を使って、仏教経典が印刷された。また唐代以後の密教化された仏教が見られるのも四川仏教の特徴で、四川地域ではこの地の地形にあわせた摩崖仏刻が彫られていった(重慶に残る大足石刻はその代表格にあげられる)。四川盆地の西縁にそびえる峨嵋山(四川省)は、五台山(山西省)、九華山(安徽省)、普陀山(浙江省)とならぶ中国四大仏教聖地のひとつとして多くの巡礼者を集めている。

楽山旧城／嘉州古城★☆☆
jiā zhōu gǔ chéng
らくさんきゅうじょう／ジィアチョウグウチャン

　清代に楽山と改称されるまで、嘉州という名前で知られた楽山旧城(嘉州古城)。北周の579年、楽山旧城が築かれ、以後の府県治所もこの地におかれることになった。東は岷江、南は大渡河に接し、高標山を背後に、会江門を前方にする丘陵状の地形にあわせて街は展開する。長江流域と成都、四川盆地を結ぶ商業都市として発展し、三江合流地点の会江門や鉄牛門、箱箱街、東大街などは明清時代以来からのにぎわい

★★★
成都／成都 chéng dū チェンドゥ
都江堰／都江堰 dū jiāng yàn ドゥジィアンイェン
青城山／青城山 qīng chéng shān チィンチェンシャン
楽山／乐山 lè shān ラアシャン
峨嵋山／峨眉山 é méi shān アアメイシャン
パンダ研究基地／大熊猫研究基地 xióng māo yán jiū jī dì ダアシオンマァオヤァンジィウジイデイ

★☆☆
三星堆博物館／三星堆博物馆 sān xīng duī bó wù guǎn サァンシィンドゥイボオウウグゥアン

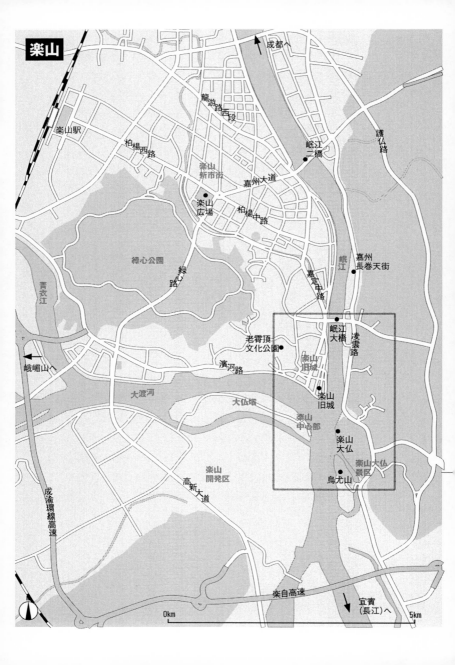

を見せる。

老霄頂文化公園／老霄顶文化公园★☆☆
lǎo xiāo dǐng wén huà gōng yuán
ろうしょうちょうぶんかこうえん／ラオシィアオディンウェンフゥアゴォンユゥエン

　楽山旧城（嘉州古城）最高地点の高標山に残る老霄頂文化公園。唐以前は高標山と呼ばれ、唐代以前から景勝地として親しまれていた。明の1464年建立の「楽山文廟」、北周（557～581年）に創建をさかのぼる道観の「神霄玉清宮」、楽山の美しい山水が視界に入る「万景楼」、叮咚（ディンドォン）と音をたてる「叮咚井」などが位置する。

楽山大仏／乐山大佛★★★
lè shān dà fú
らくさんだいぶつ／ラアシャンダアフウ

　高さ71m、世界最大の石彫座像の楽山大仏は、足を少し広げて坐った悠然としたたたずまいを見せる。三江合流地点ではしばしば水難が起こり、唐代の713年、凌雲寺の海通和尚は通行の安全を祈って、この大仏の造営をはじめた。朝廷の行なった国家事業でなく、ひとりの和尚による造営発願という点に楽山大仏の最大の特徴があり、90年かけて803年に完成した。楽山大仏は釈迦についで仏になることが約

★★★
楽山／乐山 lè shān ラアシャン
楽山大仏／乐山大佛 lè shān dà fú ラアシャンダアフウ
★★☆
麻浩漁村／麻浩渔村 má hào yú cūn マアハァオユウチュン
烏尤寺／乌尤寺 wū yóu sì ウウヨウスウ
★☆☆
楽山旧城／嘉州古城 jiā zhōu gǔ chéng ジィアチョウグウチャン
老霄頂文化公園／老霄顶文化公园 lǎo xiāo dǐng wén huà gōng yuán ラアオシィアオディンウェンフゥアゴォンユゥエン
楽山大仏景区／乐山大佛景区 lè shān dà fú jǐng qū ラアシャンダアフウジィンチュウ
凌雲寺／凌云寺 líng yún sì リィンユゥンスウ
麻浩崖墓／麻浩崖墓 má hào yá mù マアハァオヤアムウ

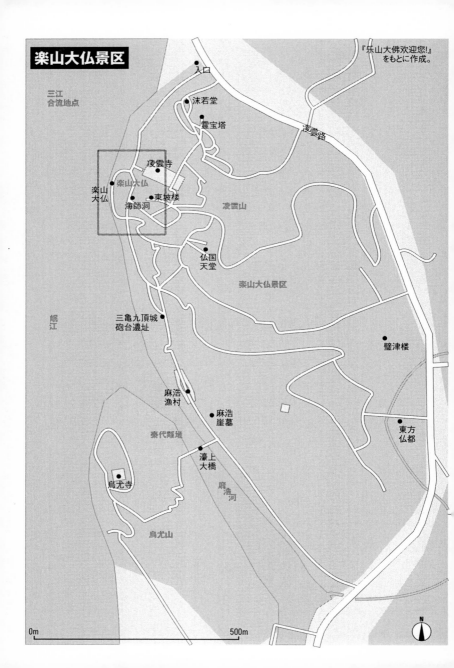

楽山大仏景区

『乐山大佛欢迎您!』
をもとに作成。

三江
合流地点

入口

沫若堂

靈宝塔

凌雲路

凌雲寺

楽山大仏

楽山
大仏

東坡楼

海師洞

凌雲山

仏国
天堂

楽山大仏景区

岷江

三亀九頂城
砲台遺址

璧津楼

麻浩
漁村

麻浩
崖墓

秦代離堆

東方
仏都

濠上
大橋

麻浩河

烏尤寺

烏尤山

0m　　　　　　　　　　　500m

N

束された弥勒仏で、自然災害や悪政をのぞく現世利益的な想いがこめられている。凌雲山頂部を大仏の頭上とし、頭の長さは14.7m、直径10mで、1021の螺髪があり、肩までたれた耳の長さは7mにもなる。肩幅28m、膝に載せた手の指の長さは8.3mで、法衣と襟のしわは排水機能をもつ。大仏の足の甲の幅は8.5mあり、100人以上が坐ることができる。この巨大な大仏頭部の右手側から、大仏足元まで全長500mほどの九曲桟道(凌雲桟道)が続き、大仏が悠然と見守るなか、船が岷江を往来する。

楽山大仏景区／乐山大佛景区 ★☆☆
lè shān dà fú jīng qū
らくさんだいぶつけいく／ラアシャンダアフウジィンチュウ

「嘉州(楽山)の山水は凌雲山にあり」。凌雲山を一帯とするエリアは、山の地形を利用した楽山大仏景区となっていて、景勝地が点在する。世界遺産の「楽山大仏」、凌雲山の頂上にある仏教寺院の「凌雲寺」、蘇東坡が遊んだという「東坡楼」、大仏を造営した海通和尚をまつる「海師洞」、宋代に創建された「璧津楼」、高さ38mの「霊宝塔」、この地にあった要塞の「三亀九頂城砲台遺址」などが見られる。凌雲山は、唐宋時代以来、李白、陸游、蘇東坡、楊雄、岑参、黄庭堅といった文人に愛されてきた。

★★★
楽山大仏／乐山大佛 lè shān dà fú ラアシャンダアフウ
★★☆
麻浩漁村／麻浩渔村 má hào yú cūn マアハァオユウチュン
烏尤寺／乌尤寺 wū yóu sì ウウヨウスウ
★☆☆
楽山大仏景区／乐山大佛景区 lè shān dà fú jīng qū ラアシャンダアフウジィンチュウ
凌雲寺／凌云寺 líng yún sì リィンユゥンスウ
麻浩崖墓／麻浩崖墓 má hào yá mù マアハァオヤアムウ

この地方の料理が食べられる麻浩漁村

崖を穿って墓にする、麻浩崖墓にて

足もとが三江合流地点になる

烏尤山に立つ仏教寺院の烏尤寺

凌雲寺／凌云寺 ★☆☆
líng yún sì
りょううんじ／リィンユゥンスゥ

凌雲山山頂に立つ仏教寺院の凌雲寺。唐代の楽山大仏を
開基した海通和尚が庵を結んでいた場所だとされ、当時(713
年)からの伝統をもつ。現在の伽藍は清代の1667年に修建さ
れたもので、天王殿、大雄宝殿、蔵経楼が中軸線上に続く。

麻浩漁村／麻浩漁村 ★★☆
má hào yú cūn
まこうぎょそん／マアハァオユウチュン

凌雲山と烏尤山のあいだを流れる渓流の麻浩河に面して
たたずむ麻浩漁村。村全体が船のかたちをしていて、岷江で
漁業を営む人たちの住まい、楽山料理を出す店が見られる。
麻浩河は、大渡河の氾濫をおさえるため、紀元前250年ごろ、
秦の李冰が開削した。

麻浩崖墓／麻浩崖墓 ★☆☆
má hào yá mù
まこうがいぼ／マアハァオヤアムウ

西南地方独特(非漢族)の崖墓という様式の見られる麻浩
崖墓。後漢時代から南北朝時代に造営されたもので、長さ
200m、幅25mのエリアに544座の崖墓が残る。崖に墓をつ
くるという様式は、楽山にとくに集中している。

烏尤寺／乌尤寺 ★★☆
wū yóu sì
うゆうじ／ウウヨウスウ

岷江の流れに浮かぶ長さ630m、幅310mの島、烏尤山。標
高434mの山頂に立つのが、仏教寺院の烏尤寺で、唐代、恵浄
禅師が山中に庵を結んだことにはじまる(山頂には、古蜀の青衣
神が棲むとされる)。天王殿、弥陀殿、大雄殿、羅漢堂、爾雅台が

立ち、唐代から楽山を代表する遊覧地であった。凌雲山との
あいだを流れる麻浩河は、秦の李冰（紀元前250年ごろ）が開削
したもので、この烏尤山造営の工事を秦代離堆という。

E Mei Shan
峨嵋山城市案内

中華世界の西の端にそびえる標高3099mの峨嵋山
普賢菩薩の仏光が見られる聖地として
中国有数の聖なる山にあげられる

峨嵋山／峨眉山★★★
é méi shān
がびさん／アアメイシャン

　峨嵋山は、五台山(山西省)、九華山(安徽省)、普陀山(浙江省)と
ならぶ中国四大仏教聖地のひとつ。標高3099mで、中華世界
にある五山とくらべて高く、峻険な山として知られてきた。
峨嵋山には1世紀ごろ仏教が伝わり、金頂で普賢菩薩の霊
験「仏光」がしばしば見られることが報告された。そして唐
代以後は普賢菩薩の一大仏教聖地として知られるようにな
り、清代の峨嵋山には、峰という峰に「寺」があり、丘という
丘に「庵」があったという。山々が幾重にも重なっていて、か
つて峨嵋山登山には最低でも2日を要し、高度によって気温
や天気が異なり、1日のうちに四季があると言われた。中華
世界の西南端にそびえることから、俗世間から離れた聖地、
仙女西王母の棲む仙境とあわせて考えられ、そうした性格
は芥川龍之介『杜子春』でも記されている。1996年、峨嵋山
は楽山大仏とともに世界遺産に指定された。

報国村／报国村★☆☆
bào guó cūn
ほうこくむら／バオグゥオチュン

　峨嵋山の麓に位置する門前町の報国村。峨嵋山への巡礼

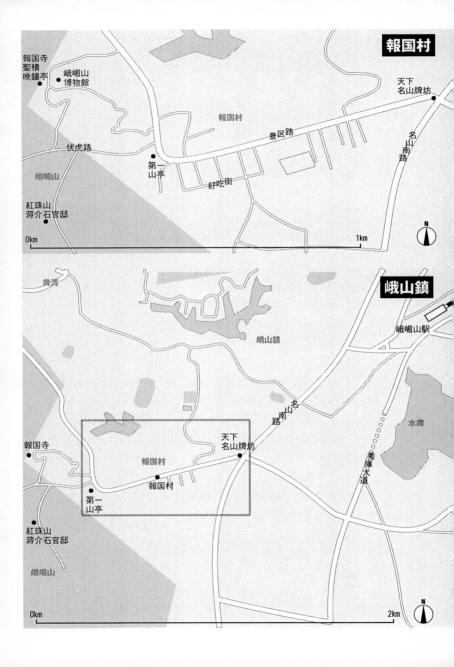

者や観光客のための料理店や施設が集まり、峨嵋料理、小吃を出す店好吃街も見られる。文学者郭沫若による書「天下名山」がかかげられた高さ17.8m、幅22.2mの天下名山牌坊が立つ。

報国寺／报国寺★★★
bào guó sì
ほうこくじ／バオグゥオスウ

峨嵋山登山への門戸となる報国寺。明の万暦年間の1615年に建立され、標高533mの山門から、弥勒殿、大雄宝殿、七仏殿、普賢殿と伽藍は奥に続いていく。仏教、道教、儒教という3つの宗教が混淆する寺院で、寺院名は「報国主恩」に由来する。この報国寺山門の向かいには聖積晩鐘亭が立ち、高さ2.8m、直径2.4m、重さ12.5トンの鐘が安置されている。夕方に鳴るこの鐘の音は、峨嵋十景にあげられる。

伏虎寺／伏虎寺★☆☆
fú hǔ sì
ふっこじ／フウフウスウ

五代十国時代(923〜936年)に創建をさかのぼる伏虎寺。伏虎寺という名前は、背後の山の虎が伏せたようなかたちから、またこのあたりに出没する虎の害を仏法の力でとりのぞいたから、という説がある。報国寺から西に1km、標高630m。

インドの様式で建てられたという万年寺無梁磚殿

峨嵋山で見られる峨嵋霊猿

金頂から望む峨嵋山の絶景

報国村が峨嵋山登山への起点となる

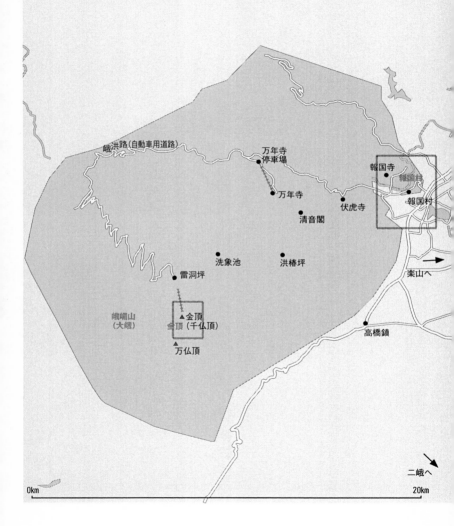

峨嵋山

N

峨洪路(自動車用道路)

万年寺
停車場

報国寺

報国村

万年寺

伏虎寺

報国村

清音閣

楽山へ

洗象池

洪椿坪

雷洞坪

峨嵋山
(大峨)

▲金頂
金頂(千仏頂)

▲
万仏頂

高橋鎮

二峨へ

0km   20km

清音閣／清音阁 ★☆☆
qīng yīn gé
せいおんかく／チンインガア

　　峨嵋山を流れる白龍江(白水)と黒龍江(黒水)というふたつ
の渓流が交わり、清らかな音をたてる「双橋清音」(峨嵋十景)。
清音閣はその地に立ち、創建は唐代にさかのぼる。北宋の
965年、インドから帰国した継業三蔵が朝廷に経典などを提
出したあと、美しい自然に魅せられて庵を結んだと伝えら
れる。標高710mで、大雄宝殿、牛心亭、巨石などが見られる。

万年寺／万年寺 ★★☆
wàn nián sì
まんねんじ／ワンニィエンスウ

　　峨嵋山中腹、標高1020mに立つ万年寺は、峨嵋山でもっ
とも由緒正しい仏教寺院にあげられる。東晋の399年、高僧
慧遠の弟の慧持が建立した普賢寺を前身とし、宋代、朝廷は
3000両の黄金を下賜、巨大な普賢菩薩の銅像を普賢寺(万年
寺)に安置した。明代の1601年建立のすべて磚(レンガ)でつ
くられた「無梁磚殿」、六牙の白象に乗る高さ7.85m、重さ62
トンの巨大な「普賢菩薩像」などが見られる。

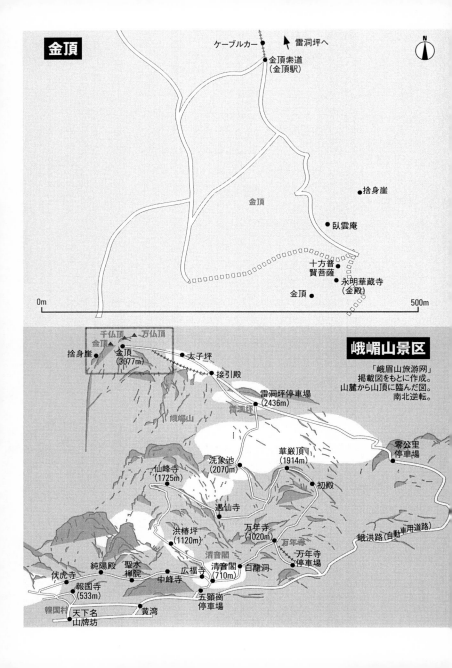

金頂

ケーブルカー

金頂索道
(金頂駅)

↑ 雷洞坪へ
N

捨身崖

臥雲庵

金頂

十方普
賢菩薩

永明華蔵寺
(金殿)

金頂

0m　　　　　　　　　　　　　　　　　　　　　　　　　　500m

峨嵋山景区

「峨眉山旅游网」
掲載図をもとに作成。
山麓から山頂に臨んだ図。
南北逆転。

千仏頂　万仏頂

金頂

捨身崖

金頂
(3077m)

太子坪

接引殿

雷洞坪停車場
(2436m)

峨嵋山

雷洞坪

華厳頂
(1914m)

零公里
停車場

洗象池
(2070m)

仙峰寺
(1725m)

初殿

遇仙寺

洪椿坪
(1120m)

万年寺
(1020m)

万年寺

峨洪路(自動車専用道路)

清音閣

清音閣
(710m)

白龍洞

万年寺
停車場

純陽殿

聖水
禅院

広福寺

伏虎寺

報国寺
(533m)

中峰寺

五顕崗
停車場

報国村

天下名

黄湾

山牌坊

洪椿坪／洪椿坪 ★☆☆
hóng chūn píng
こうちんへい／ホンチュンピィン

　　千年を超す3株の洪椿樹に由来する洪椿坪(「坪」とは比較的平らな場所をさし、峨嵋山でしばしば使われる)。標高1120mに位置し、「(蒲公が見た仏光を)普賢菩薩によるものだ」と伝えた宝掌和尚が庵を結んだ場所だとされる。「峨嵋霊猿(チベットアカゲザル)」は、洪椿坪近くでも生息している。

洗象池／洗象池 ★☆☆
xǐ xiàng chí
せんぞうち／シイシィアンチイ

　　普賢菩薩が自らの乗りものである白象を沐浴させたと伝えられる洗象池。清代の1699年、行能禅師が寺院を建立し、普賢菩薩が白象を洗ったという深さ3mの洗象池(六角池)も残る。またここから見る月の美しさは「象池夜月」として峨嵋十景にあげられる。標高2070mの地点にあり、洗象池より上部は植生が変わるという。

金頂／金顶 ★★★
jīn dǐng
きんちょう／ジィンディン

　　普賢菩薩の仏光、雲海などが見られる標高3077mの峨嵋山金頂。正式名を「千仏頂」といい、後漢の63年、蒲公はここ金頂で「仏光」を目のあたりにした。それを聞いた宝掌和尚は「山頂の光は普賢菩薩の瑞祥で、菩薩が姿を現したもの」

★★★
峨嵋山／峨眉山 é méi shān アアメイシャン
金頂／金顶 jīn dǐng ジィンディン
★★☆
十方普賢菩薩／十方普贤菩萨 shí fāng pǔ xián pú sà シイファンプウシィエンプウサア
永明華蔵寺(金殿)／永明华藏寺 yǒng míng huá cáng sì ヨンミィンフゥアツァンスウ

標高3077mに立つ巨大な十方普賢菩薩

普賢菩薩をまつる永明華蔵寺（金殿）

と告げた（太陽を背に立つと、太陽によって映し出された影が、雲や霧に投影される現象）。こうして峨嵋山の普賢菩薩の聖地としての性格ははじまり、現在、金頂には高さ48mの「十方普賢菩薩」、金色に輝く「永明華蔵寺（金殿）」、雲海にのぞむ「臥雲庵（銀殿）」、まっすぐ下に720m続く「捨身崖」などが位置する。ここ金頂からは壮大な景観が広がり、近くには標高3099mの「万仏頂」もそびえる。

十方普賢菩薩／十方普贤菩萨★★☆
shí fāng pǔ xián pú sà
じっぽうふげんぼさつ／シイファンプウシィエンプウサア

　金頂に立つ高さ48m、重さ600トンの黄金の十方普賢菩薩。六牙の象に乗る普賢菩薩の像で、10の顔は普賢菩薩の10の誓いと、その実践の「十大請願」を意味する。

永明華蔵寺（金殿）／永明华藏寺★★☆
yǒng míng huá cáng sì
えいみんげぞうじ（きんでん）／ヨンミィンフゥアツァンスウ

　後漢の63年、金頂で普賢菩薩の仏光を見た蒲公が建てた普光殿を前身とする永明華蔵寺（金殿）。標高3077mの金頂に立ち、破壊と再建を繰り返して現在にいたる。大雄宝殿背後の銅殿（金殿）は、明代の1602年に建てられ、瓦、壁、柱すべてが金をなじませた銅でつくられていて、太陽の光で金色に輝くことから「金殿」と呼ばれる。「第一寺」「祖殿」ともいう。

Jiu Zhai Gou

九寨溝城市案内

チベットからはアムドとされる
四川省北西部の山岳地帯
アバ・チベット族チャン族自治州に位置する九寨溝

九寨溝／九寨沟★★★
jiǔ zhài gōu
きゅうさいこう／ジィウチャイゴォウ

　湖底の石や藻類、倒木が見通せるほど青く透明度の高い水、太陽の光で変化する湖面。九寨溝にはエメラルドブルーやラピスラズリ色に輝く大小114の湖群が集まり、海子(湖)、滝、浅瀬と水の流れる渓谷が続く。九寨溝とは「チベット族の集落(寨)が9つある谷(溝)」という意味で、1970年代まで地元民以外に知られることもなく、ひっそりとしたチベット族の暮らしがあった。渓谷の全長55.5km、総面積は1320平方キロメートルで、入口にあたる九寨溝口(標高1996m)から最高地点の長海(標高3060m)まで、1000m以上の標高差がある。谷は逆Y字型(九寨溝の入口から見て「Y」の字)をしていて、九寨溝口から渓谷が枝わかれするまでを『樹正溝』、分岐点から南東の渓谷を『則査窪溝』、南西の原始林までの渓谷を『日則溝』という。4000m級の12の雪山に囲まれた九寨溝は、1992年に世界自然遺産に指定され、湖や渓谷の美しさから「童話世界」にたとえられる。

漢文化の西限、チベットの東限

　西をチベット自治区、北を青海省、甘粛省、陝西省、南を雲

湖底の倒木まで見通せる透明度

九寨溝はチベット世界でもある

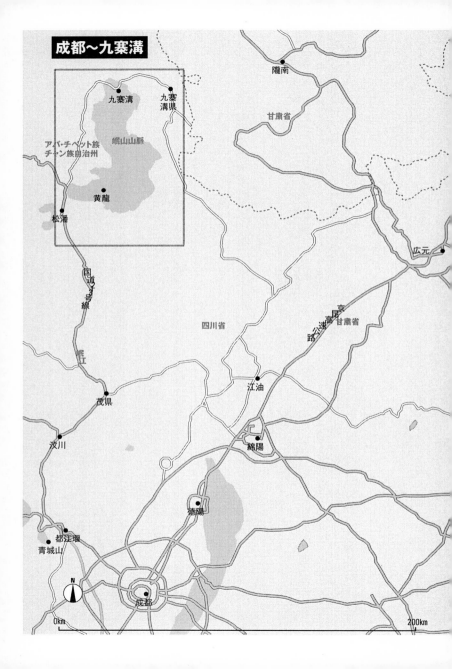

南省、東を重慶市、貴州省に囲まれた四川省。省のなかでは
もっとも西部にあり、四川省の西半分はチベット高原に続
く丘陵地帯で、標高4000mを超す高峰もめずらしくない。こ
れら四川省西部は、チベット側からはカム（東部）やアムド（北
東部）と呼ばれている。この地にはチベット族やチャン族、回
族などの少数民族が暮らし、九寨溝は少数民族によるある
程度の自治が認められたアバ・チベット族チャン族自治州
に属する。

そして九寨溝が生まれた

　対峙するように九寨溝に鎮座するふたつの山の達戈男神
山（標高4110m）と色嫫女神山（標高4136m）。両者は九寨溝創世
神話で語られる達戈男神と色嫫女神の化身とされ、この地
に生きるチベット族から信仰されている。達戈男神は風と
雲で磨きあげた「風雲宝鏡」を恋する色嫫女神に送った。し
かし、悪魔のいたずらを受けた色嫫女神は、その鏡を天界か
ら落としてしまった。地上に落ちた「風雲宝鏡」は114の破
片に砕け散り、それぞれが青く澄んだ湖になった。九寨溝の
海子（湖）は、こうしてできあがったという。

樹正溝／樹正沟★★☆
shù zhèng gōu
じゅせいこう／シュウチェンゴウ

　九寨溝の入口にあたる九寨溝口から南に向かって伸びる
樹正溝。諾日朗瀑布まで続く13.8kmの渓谷で、数珠状につな
がった19の海子（湖）が連続する。チベット族の集落である

★★★
九寨溝／九寨沟 jiǔ zhài gōuジィウチャイゴォウ
成都／成都 chéng dūチェンドゥ
都江堰／都江堰 dū jiāng yànドゥジィアンイェン
青城山／青城山 qīng chéng shānチィンチェンシャン

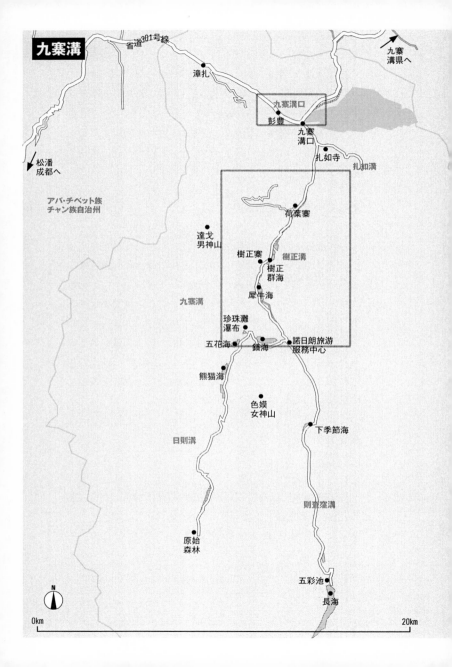

「荷葉寨」、水の流れる浅瀬に立つ灌木が盆景のような「盆景灘」、風の揺らすアシが美しい「蘆葦海」、湖底の石灰製の礁がまるで2匹の龍のような「双龍海」、太陽の光が湖面にさすと、水面が火花を放つかのような「火花海」、水中で龍がひそむように見える「臥龍海」、階段状の特異な景観をつくる「樹正群海」、九寨溝の水が少なくなる冬でも豊富な水量をたもつ「老虎海」、樹正溝でもっとも大きい「犀牛海」などで構成される。

樹正寨／樹正寨★☆☆
shù zhèng zhài
じゅせいさい／シュウチェンチャイ

九寨溝の9つのチベット人集落を代表する樹正寨。チベット仏教の仏塔チョルテン、小さな旗のはためく経幡タルチョ、経文を入れた筒の転経マニ車などが見られる。また一列にならんだ9つの白い仏塔群の九宝蓮花菩提塔が立ち、ひとつの塔が九寨溝に点在する9つの寨(九寨)それぞれをさすという。チベット仏教と土着のボン教が混淆している。

九寨溝／九寨沟 jiŭ zhài gōuジィウチャイゴォウ
五彩池／五彩池 wŭ căi chíウツァイチイ

★★☆
樹正溝／树正沟 shù zhèng gōuシュウチェンゴォウ
樹正群海／树正群海 shù zhèng qún hăiシュウチェンチュンハァイ
長海／长海 zhāng hăiチャンハァイ
日則溝／日则沟 rì zé gōuリイゼエゴォウ
五花海／五花海 wŭ huā hăiウウフゥアハァイ

★☆☆
樹正寨／树正寨 shù zhèng zhàiシュウチェンチャイ
則査窪溝／则查洼沟 zé zhā wā gōuゼェチャワアゴォウ
珍珠灘瀑布／珍珠滩瀑布 zhēn zhū tān pù bùチェンチュウタァンプウブウ
原始森林／原始森林 yuán shĭ sēn línユゥエンシイセンリィン
扎如溝／扎如沟 zhā rú gōuチャルゥウゴォウ

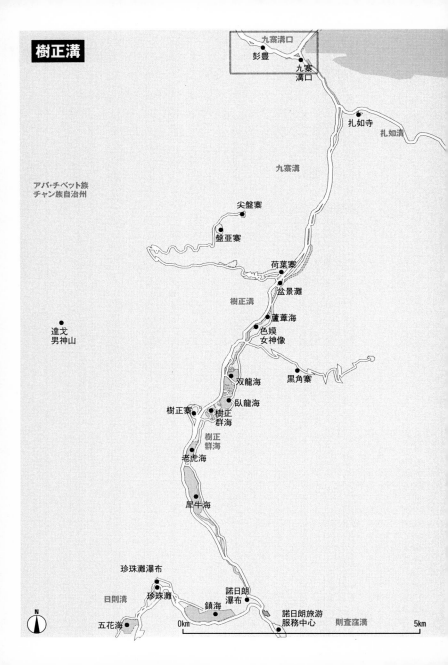

樹正溝

九寨溝口
彭豊
九寨溝口

扎如寺
扎如溝

九寨溝

アバ・チベット族
チャン族自治州

尖盤寨

盤亜寨

荷葉寨

盆景灘

樹正溝

蘆葦海

達戈
男神山

色嫫
女神像

黒角寨

双龍海

臥龍海

樹正寨
樹正
群海

樹正
群海

老虎海

犀牛海

珍珠灘瀑布

珍珠灘

鎮海

諾日朗
瀑布

日則溝

五花海

諾日朗旅游
服務中心

則査窪溝

N

0km 5km

樹正群海／树正群海 ★★☆

shù zhèng qún hǎi

じゅせいぐんかい／シュウチェンチュンハァイ

　　どこまでも透明な水、青色の「海子(湖)」が階段状に続く樹正群海。上流の海子の堤防からあふれだし、水が次から次へと流れていく。また近くでは、頂部の幅は72m、勢いよい高さ25mの「樹正瀑布」、渓流のほとりではマニ車(水転経)をそなえた木造の小屋の「樹正磨房」も見られる。標高2187〜2280mに展開する。

則査窪溝／则查洼沟 ★☆☆

zé zhā wā gōu

そくさわこう／ゼェチャアワアゴウ

　　逆Y字型の九寨溝の渓谷にあって、中央の諾日朗瀑布から南東の長海まで続く則査窪溝。諾日朗瀑布(標高2365m)から最奥の長海(標高3060m)まで、徐々に標高があがっていく。もっとも手前にある「則査窪寨」、季節によって水量を変える「下季節海」、「上季節海」(冬になると水量が低下し、秋には水が増えて湖は青くなる)、九寨溝でもっとも美しいという「五彩池」、九寨溝最大の「長海」と17kmにわたって続く。

★★★

九寨溝／九寨沟 jiǔ zhài gōuジィウチャイゴォウ

★★☆

樹正溝／树正沟 shù zhèng gōuシュウチェンゴォウ

樹正群海／树正群海 shù zhèng qún hǎiシュウチェンチュンハァイ

日則溝／日则沟 rì zé gōuリイゼエゴォウ

五花海／五花海 wǔ huā hǎiウウフゥアハァイ

★☆☆

樹正寨／树正寨 shù zhèng zhàiシュウチェンチャイ

則査窪溝／则查洼沟 zé zhā wā gōuゼェチャアワアゴウ

珍珠灘瀑布／珍珠滩瀑布 zhēn zhū tān pù bùチェンチュウタァンプウブウ

扎如溝／扎如沟 zhā rú gōuチャアルウゴォウ

長海／长海★★☆
zhǎng hǎi
ちょうかい／チャンハァイ

九寨溝でもっとも高い標高3060mに位置する長海。九寨溝で最大の海子(湖)で、長さ5km、最大幅は600mになり、湖はS字(ひょうたん)の形状をしている。この湖には水が外に流れ出す場所はないが、夏と秋の雨期でも水はあふれず、冬と春は乾燥しているが、水がかれることもない。周囲を雪でおおわれた4000m級の山々にとり囲まれ、チベット族からは「宝のひょうたん」と呼ばれている。

五彩池／五彩池★★★
wǔ cǎi chí
ごさいち／ウウツァイチイ

九寨溝でもっとも鮮やかな湖とたたえられる五彩池。五彩とは「色とりどり」という意味で、太陽の光がアオミドロ、藻類などの水生植物にあたって、水の色が5色に見えることで名づけられた。カルスト地形で高濃度の炭酸カルシウムをふくみ、その浄化(濾過)作用で水は透明になった。五彩池では、深さ6.6mの湖底にある小石や堆積物まで見通すことができる。

日則溝／日则沟★★☆
rì zé gōu
じっそくこう／リイゼエゴォウ

九寨溝のちょうど中央部に位置する諾日朗旅游服務中心から南西に向かって続く渓谷の日則溝。標高2365mに位置し、中国最大の高山瀑布でもある幅320mの「諾日朗瀑布」、青い空、白い雲、雪をいただく高山を、鏡のように湖面に映す「鎮海」(長さ1155m、幅123m～241m)、水しぶきが美しい「珍珠灘」、湖面をさまざまな色に変化させる「五花海」、かつてパンダが水を飲みにきたという「熊猫海」、そこに隣接する「箭

鮮やかな青を見せる五彩池

九寨溝の最奥部、標高3060mにある長海

真珠のような水しぶきの珍珠灘瀑布

どちらが本物か、鏡海の湖面に映った山

湖が数珠のようにつらなっていく樹正群海

ネパールでも見られるブッダアイ

竹海」といった景勝地を抱える。見応えある大きな湖が連続
する。

珍珠灘瀑布／珍珠滩瀑布★☆☆
zhēn zhū tān pù bù
ちんじゅたんばくふ／チェンチュウタァンプウブウ

　幅270m、落差21mで、勢いよく水が落ちていく滝の珍珠
灘瀑布。水しぶきが太陽に反射して、「真珠(珍珠)」のように
飛び散るところから名づけられた。また珍珠灘の地形は流
水の効果で、鱗の波紋のようになっていて、藻類や凹凸の石
のなか、水は踊るように流れていく。標高2433m。

五花海／五花海★★☆
wǔ huā hǎi
ごかかい／ウウフゥアハァイ

　青く透き通った湖の透明度、美しさから「九寨溝一絶」と
呼ばれる五花海。長さ450m、幅227〜313mの湖で、深さは
12mあるにもかかわらず、透明度が高いため、湖底に沈んだ
倒木、そこに生えた植物、石と小魚などが目視できる。また
湖底の藻やこけと太陽の光の関わりで、湖面を変化させて
いく。標高2462m。

原始森林／原始森林★☆☆
yuán shǐ sēn lín
げんししんりん／ユゥエンシイセンリィン

　手つかずの原生林におおわれた日則溝最南端の原始森
林。あたりは清浄な空気に包まれている。

扎如溝／扎如沟★☆☆
zhā rú gōu
さつじょこう／チャアルウゴォウ

　九寨溝口近くから伸びる全長3kmほどの小さな渓谷の扎

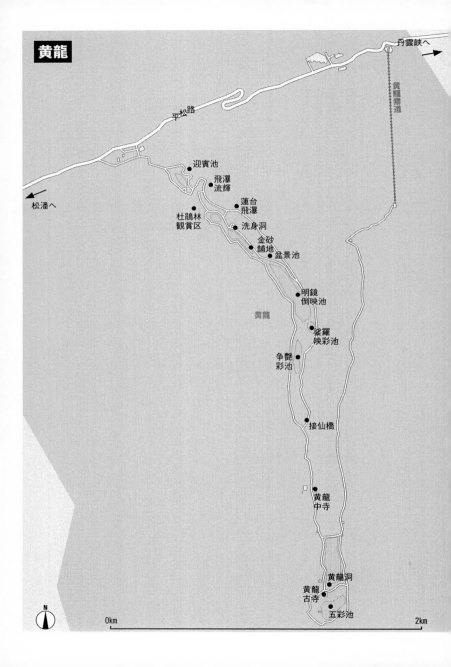

如溝。九寨溝に入ろうとする悪魔の正体を暴くという巨大な山塊、断崖の「宝鏡崖」(高さ400m)、明朝(1368〜1644年)末期に建てられたボン教の「扎如寺」などが位置する。

黄龍／黄龙★★☆
huáng lóng
こうりゅう／ファンロオン

岷江上流域の丘陵地帯、長さ3.6mの渓谷(谷川)に「鮮やかな池」を意味する彩池(池子)が点在する黄龍。彩池の数は、3400を超し、その姿がまるで天へかけのぼる龍のようであることから黄龍と名づけられた(平均標高3550m)。「黄龍の目」にたとえられる五彩池はじめ、黄龍の彩池群は、石灰濃度の高い水の浄化作用、湖中の沈殿物、太陽の光などの作用から、エメラルドグリーンに輝く。標高5588mの雪宝頂のふもとに位置し、1992年、黄龍溝、牟尼溝、丹雲峡、雪宝頂などからなる世界自然遺産に登録されている(同じアバ・チベット族チャン族自治州の九寨溝ともくらべられる)。

黄龍の構成

標高3576m、黄龍の最奥部に広がる「五彩池」は、黄龍の象徴的存在で、大小693の彩池の湖面は白、紫、藍、緑に変化して見える。そばには道教寺院の「黄龍古寺」が立ち、禹王を助けた黄龍の伝説も残る。この寺院はチベット仏教、ボン教の要素も見え、道教の黄龍真人、禹王、仏教の菩薩を同時にまつる。そこから676m離れた地点に立つ「黄龍中寺」は、明代に建てられたチベット仏教、またボン教の寺院となっている。黄龍中寺から下流に向かって「接仙橋」や「娑羅映彩池」、658の彩池で構成される「争艶彩池」、周囲の山や木々を鏡の

★★☆
黄龍／黄龙 huáng lóng ファンロオン

ように湖面に映す「明鏡倒映池」、小きざみな段々の斜面が
1300mほど続く「金砂舗地」（高低差は122m）、「迎賓池」などの
景勝地が位置する。

天府之国「川」のあらまし

日本の1.5倍の面積をもつ四川省
この地には100種類の竹があり
(四川の富は)中国の富全部に匹敵するともいう

四川盆地とは

　7千万年前、四川盆地は巨大な内陸湖であったが、ヒマラヤ上昇運動などで、湖水は低い南東のほうへ流れていった。現在でも、盆地北西部にそびえる岷山山脈から流れる岷江をはじめ、無数の河川が同様の川筋を描き、長江へそそいでいる(清代まで長江の源流は、岷江だと思われていた)。この岷江によって形成された沖積平野が成都平原で、四川省の主要都市は河川の合流点にあることを特徴とする。周囲を山に囲まれた内陸の盆地でありながら、寒波が秦嶺山脈と大巴山脈にさえぎられるため、四川盆地は亜熱帯性の湿潤なモンスーン気候に属している。1年中曇りがちで、降水量は豊富、日照は少ない。

四川は天府の国

　四川省には1万種類という植物が自生し、それは全中国の3分の1に達するという。小麦、とうもろこし、綿、茶などを育む滋味豊かな土地は、農業生産力が高く、「天府の国」を形成する。また塩、銅、木材などの物資も豊富で、四川省だけで「全国の人が着る服すべてをまかなうことができる」とも言われてきた。こうした物産の豊富さは、文化を普及させ、

パンダは1日の大部分を食事と睡眠についやす

四川省少数民族分布図

成都平原からチベット高原へ、これが四川省

北中国とも南中国とも異なる三星堆遺跡

九寨溝は1970年代までほとんど知られていなかった

木版による印刷出版が栄えた唐末から五代十国、世界最初の紙幣が生まれた北宋時代には、成都は中国最先端の地となっていた（中国でもっとも豊かなのが揚州で、その次が成都というように、四川の豊かさを指した「揚一蜀二」という言葉も知られた）。こうした四川省の豊かさは、秦漢から三国志の蜀、蒋介石にいたるまでが着目し、地方王朝を支えるだけの富を有していた。

四川省のかんたんな歴史

　殷周時代、中原とは異なる三星堆文化が栄えた古蜀国。紀元前316年、秦の版図に入ってから四川も中国化が進み、漢代には益州と呼ばれていた。続く三国時代には、劉備玄徳が蜀を築き、四川省を領土とする独立国が生まれた。唐代、7世紀なかばの玄宗、9世紀後半の僖宗というように、都長安の混乱とともに、皇帝が四川に逃れ、それにともなって中原の優れた文化や人材がこの地にやってきた。続く五代十国の前蜀や後蜀でも、ほとんど戦乱に巻き込まれることはなく、南唐とともに蜀（四川）が中国文化の最先端の地であった。宋代、川陝四路がおかれて「四川」という地名が現れ、元代には四川行省がおかれて、以後、四川省という名前が定着した。明清交代期に張献忠の乱で、四川の地は無人の荒野と化したが、清代初期の政策で、湖南、湖北から多くの移民がやってきて、「移民のつくった省」という性格もこの省の柱のひとつとなった（四川料理は、移民が各地から伝えた料理をもとにする）。また四川省西部（チベットのカム）は近代、西康省として四川省と分離していたほか、1997年には長らく四川省を構成していた重慶が四川省から分離した。こうした経緯は、四川省が中国西南地方という中華世界の果てに位置すること、人口や面積で中国の省有数の巨大さであったことに由来する。

『成都 最も幸福感のある街』(郭穎/ジェトロセンサー)

『三星堆・中国古代文明の謎』(徐朝龍/大修館書店)

『三星堆－中国5000年の謎・驚異の仮面王国－』(稲畑耕一郎/朝日新聞社)

『謎の古代王国－三星堆遺跡は何を物語るかー』(徐朝竜・NHK取材班/日本放送出版協会)

『后蜀孟知祥墓与福庆长公主墓志铭』(锺大全/成都市文物管理处)

『"一品天下"美食商业街发展战略研究』(周媛媛/西南交通大学)

『パンダ』(R.8D.モリス/中央公論社)

『世界大百科事典』(平凡社)

四川省人民政府http://www.sc.gov.cn/

中国成都_成都政府网www.chengdu.gov.cn/

三星堆博物馆http://www.sxd.cn/

成都大熊猫繁育研究基地http://www.panda.org.cn/

乐山大佛欢迎您! http://www.leshandafo.com/

乐山市人民政府www.leshan.gov.cn/

峨眉山市人民政府http://www.emeishan.gov.cn/

峨眉山佛教网http://www.emsfj.com/

阿坝藏族羌族自治州人民政府http://www.abazhou.gov.cn/

九寨沟县人民政府http://www.jzg.gov.cn/

九寨沟景区官方网站https://www.jiuzhai.com/

黄龙景区官方网站https://www.huanglong.com/

乐山国家高新技术产业开发区http://gxq.leshan.gov.cn/

OpenStreetMap

(C)OpenStreetMap contributors

[PDF]成都地下鉄路線図http://machigotopub.com/pdf/chengdumetro.pdf

[PDF]成都空港案内http://machigotopub.com/pdf/chengduairport.pdf

はじめての四川省／成都・楽山・峨嵋山・九寨溝

まちごとパブリッシングの旅行ガイド
Machigoto INDIA , Machigoto ASIA , Machigoto CHINA

天津-まちごとチャイナ

上海-まちごとチャイナ

河北省-まちごとチャイナ

江蘇省-まちごとチャイナ

浙江省-まちごとチャイナ

福建省-まちごとチャイナ

マカオ-まちごとチャイナ

Juo-Mujin (電子書籍のみ)

自力旅游中国Tabisuru CHINA

中国と四川省

N

0km   3000km

N

四川省

0km　　　　　　　　　　　　　　　　　　　　　1000km

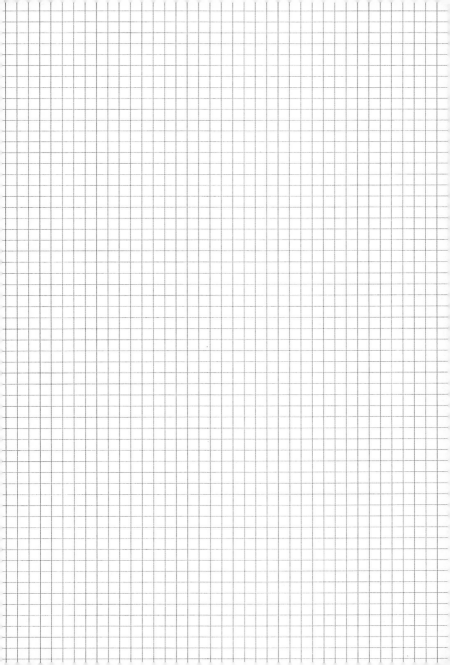

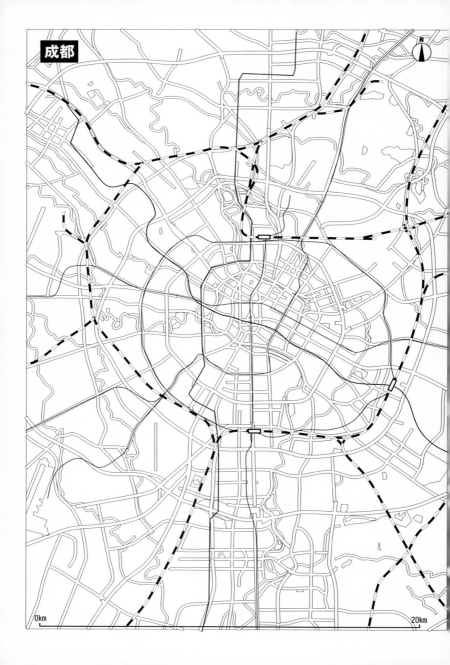
成都
N
0km
20km

成都旧城

0km　　　　　　　　　　3km

N

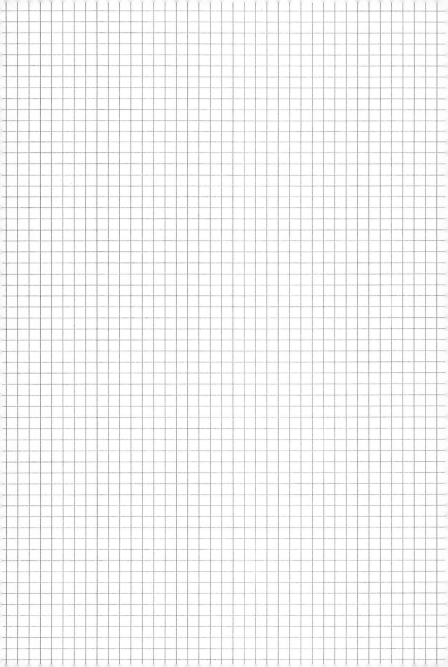

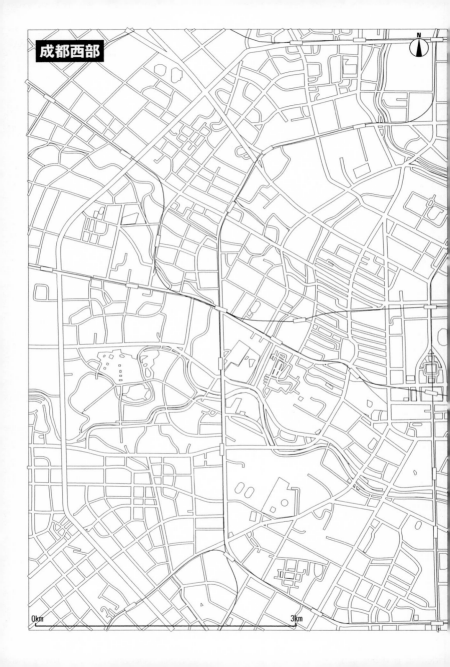

成都西部

N

0km　　　　　　　　　　　　　　　3km

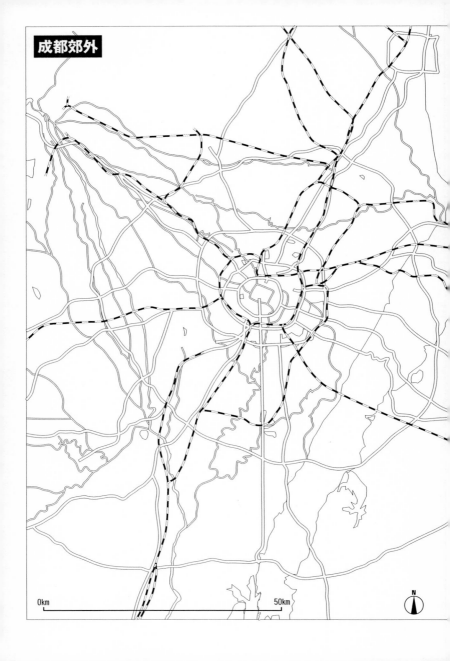

成都郊外

0km　　　　　　　　　　　　50km

N

都江堰

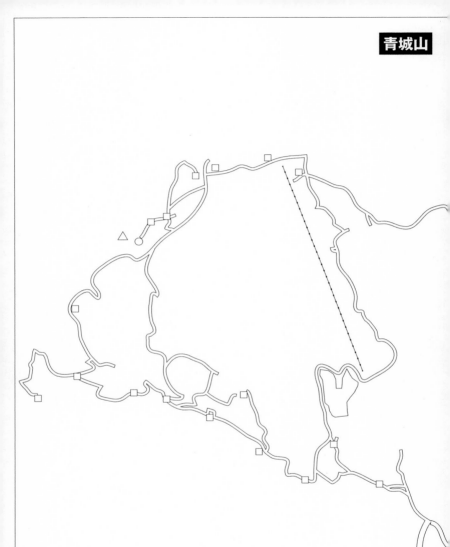

0km   1km

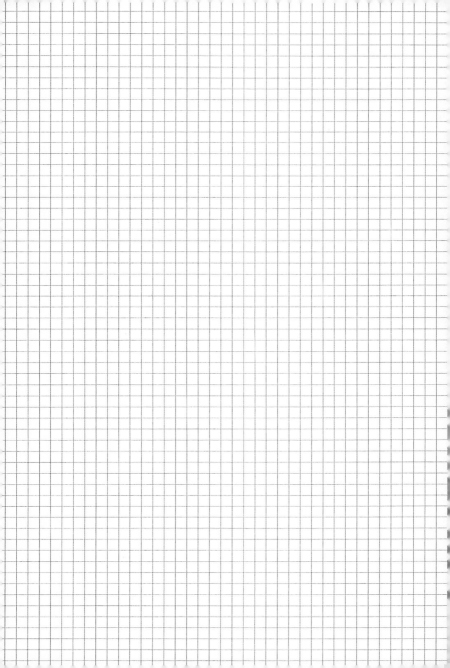

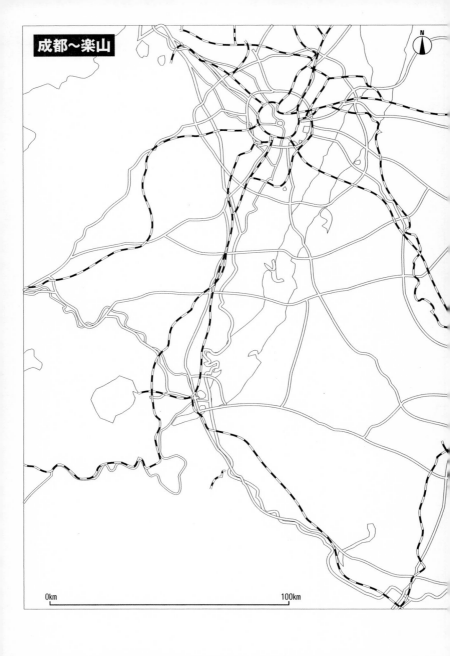

成都～楽山

N

0km 100km

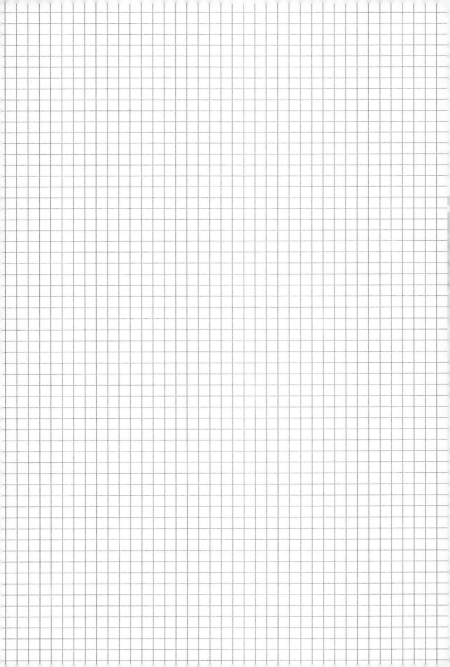

楽山

0km　　　　5km

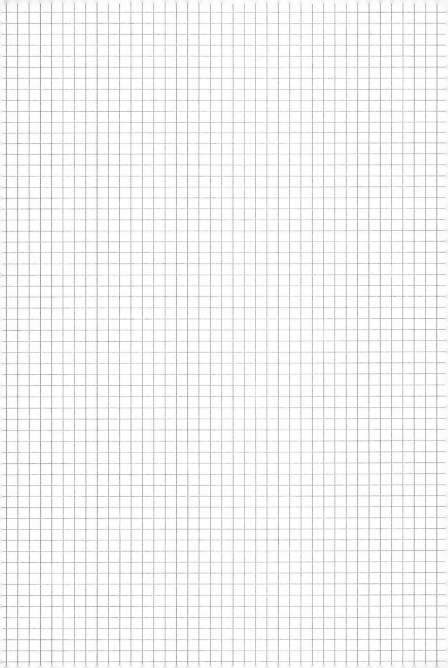

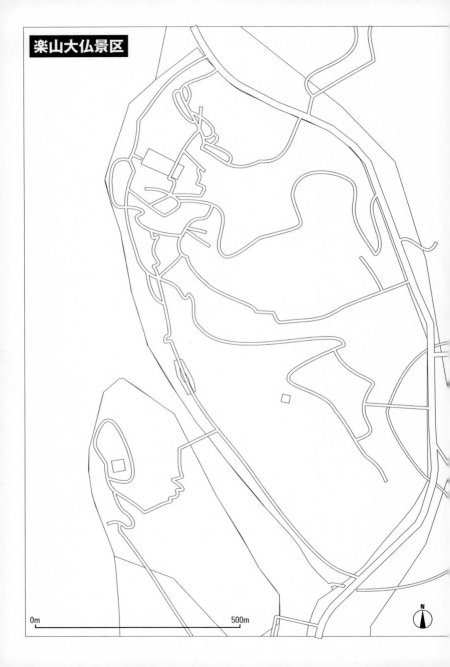

楽山大仏景区

0m　　　　　　　　　　　　500m

N

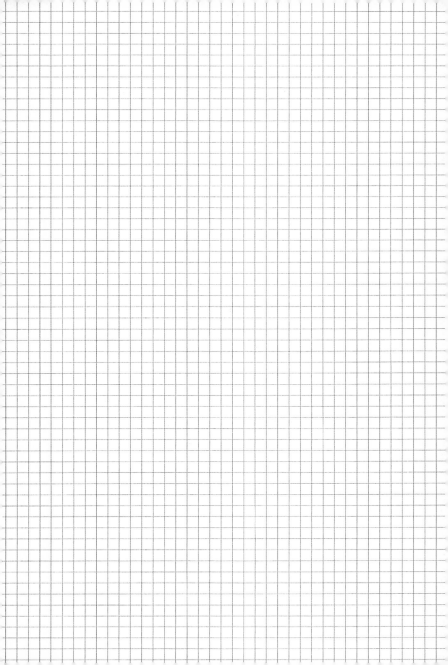

報国村

0km　　　　　　　　　　　　　　　　　　　　　　1km

N

峨山鎮

0km　　　　　　　　　　　　　　　　　　　　　　2km

N

峨嵋山

0km   20km

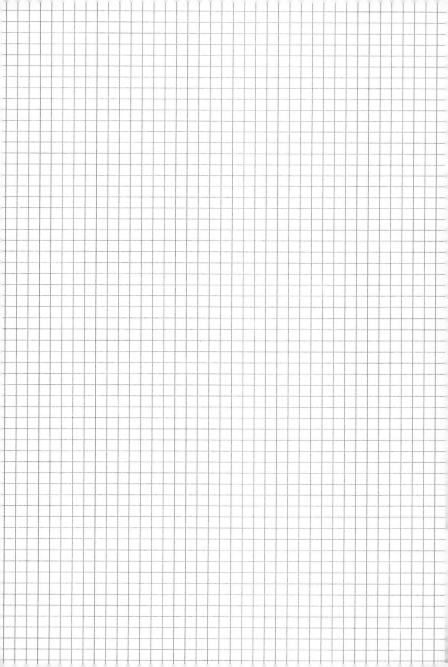

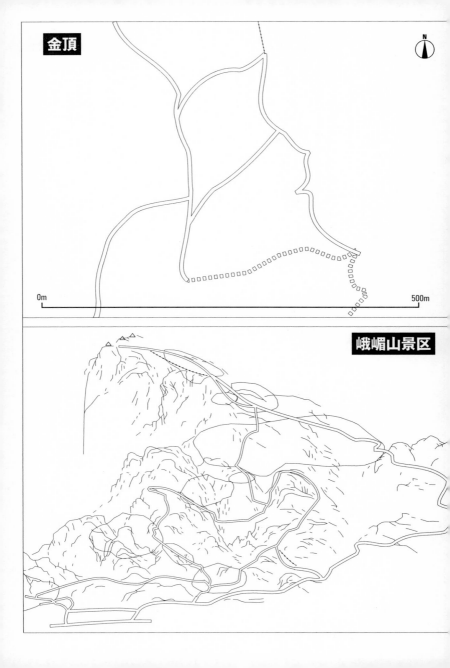

金頂

N

0m   500m

峨嵋山景区

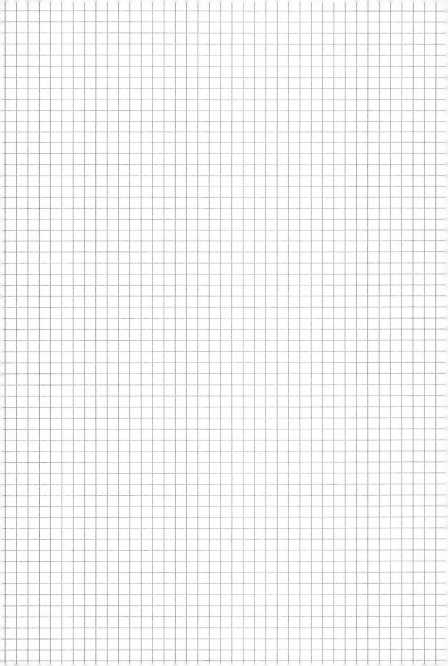

成都～九寨溝

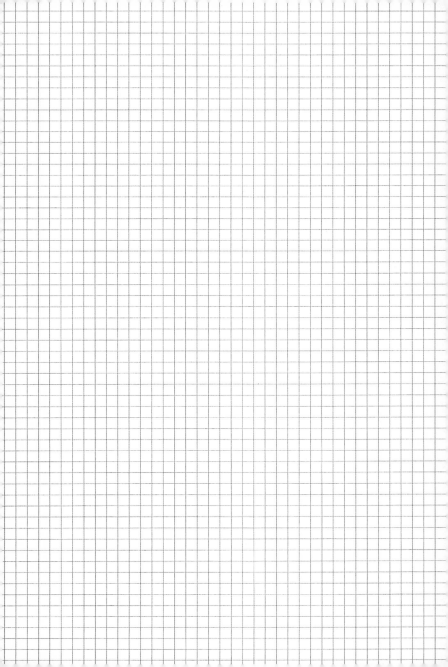

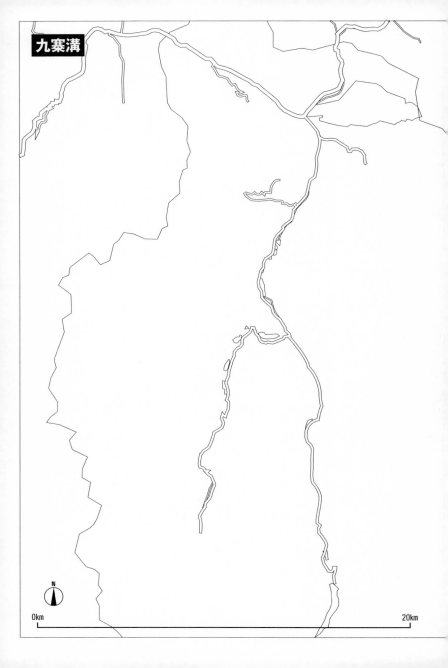

九寨溝

0km　　　　　　　　　　　　　　　　　　　　20km

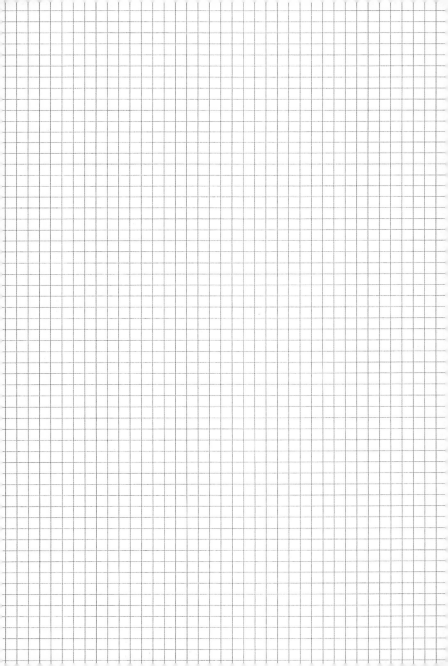

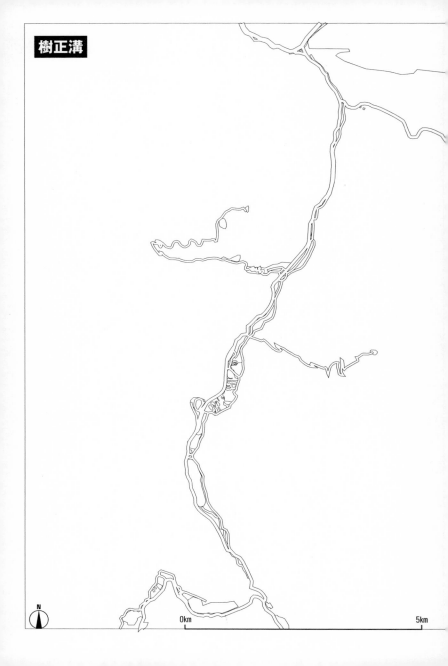

樹正溝

N

0km 5km

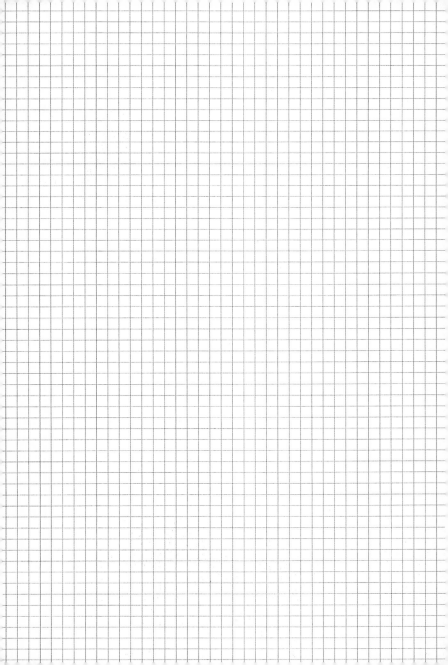

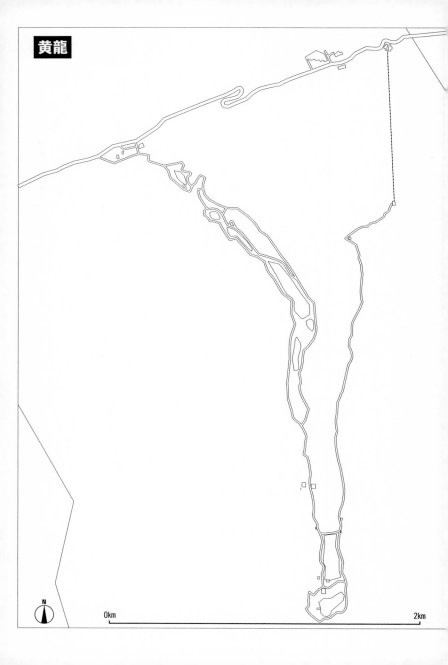

黄龍

0km　　　　　　　　　　　　　　　　　　　　　　　　2km

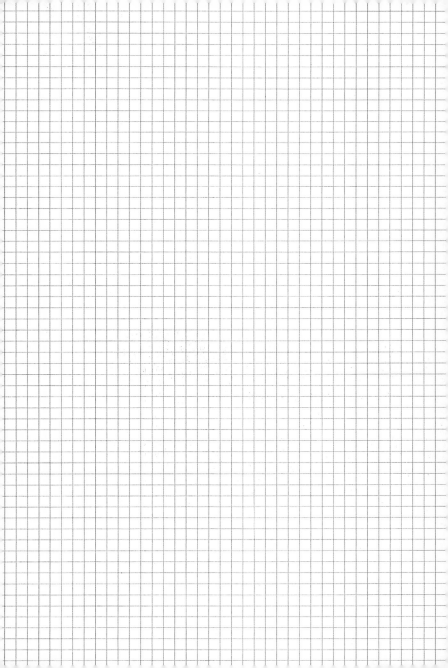

【車輪はつばさ】

南インドのアイラヴァテシュワラ寺院には
建築本体に車輪がついていて
寺院に乗った神さまが
人びとの想いを運ぶと言います

An amazing stone wheel of the Airavatesvara Temple
in the town of Darasuram, near Kumbakonam in the South India

まちごとチャイナ
四川省 001

はじめての四川省
成都・楽山・峨嵋山・九寨溝
[モノクロノートブック版]

「アジア城市（まち）案内」制作委員会
まちごとパブリッシング
http://machigotopub.com

・本書はオンデマンド印刷で作成されています。
・本書の内容に関するご意見、お問い合わせは、発行元の
　まちごとパブリッシング info@machigotopub.com までお願いします。

まちごとチャイナ
四川省001はじめての四川省
　〜成都・楽山・峨眉山・九寨溝

2020年 3月31日　発行

著　者	「アジア城市（まち）案内」制作委員会
発行者	赤松　耕次
発行所	まちごとパブリッシング株式会社
	〒181-0013　東京都三鷹市下連雀4-4-36
	URL http://www.machigotopub.com/
発売元	株式会社デジタルパブリッシングサービス
	〒162-0812　東京都新宿区西五軒町11-13
	清水ビル3F
印刷・製本	株式会社デジタルパブリッシングサービス
	URL http://www.d-pub.co.jp/

MP208